アドリア海の海賊 ウスコク

難民・略奪者・英雄

越村勲 著

彩流社

もっと驚くべき対照を空想することができるだろうか。東には、冬季の厳しさと夏季のひどい乾燥で悲嘆にくれた山岳住民の住む広大な山国がある。これは牧畜と不安定な生活の国、つまり、まるで「蜂の巣をつついたような国」であり、〔中略〕、この国以上に厳しく、家父長的で、その文明の魅力がいかなるものであろうとも、事実上これほど後れた地方を想像することはほとんどできない……。十六世紀には、トルコ人に対する戦いがおこなわれた地域であり、国境の国である。ザゴラ人は山賊ないし追放された者、〈ハイドゥク〉ないし〈ウスコク〉という生まれながらの兵士であり、「鹿のように身軽で」、叙事詩にふさわしいほどの勇気の持ち主である。山は彼らの奇襲攻撃には有利であり、数多くの流行歌〈ペスマ〉は、彼らの手柄、オスマン・トルコの武官が散々に殴られたこと、キャラバンが襲撃されたこと、美しい娘たちが誘拐されたことなどを語っている。

フェルナン・ブローデル『地中海』Ⅰ（藤原書店、一九九一年　八八・八九ページ）

目次

第二章　ウスコクの社会……53

はじめに

地中海の東部、イタリア半島とバルカン半島に挟まれたアドリア海。内海であるために航行しやく沿岸の地形にも恵まれたこの海域には、「アドリア海の女王」ヴェネツィア（イタリア）や「アドリア海の真珠」ドゥブロヴニク（クロアティア）などの海洋都市が古くから栄えた。

古来、海上交通が盛んで発展したアドリア海は、都市間の交易のために金品や物資を積んだ商船が多く行き交ったわけだが、となると当然、それらの積み荷を狙った不埒な輩も引き寄せることとなった。海賊である。アドリア海の東岸に位置するクロアティアの海賊〈ウスコク〉も、そのような海賊のひとつであった。

ウスコクが、アドリア海東岸で盛んに活動したのには理由がある。海賊だけではない。商船も含めた多くの船が、東岸寄りのルートを好んで航行していた。なぜなら、地形と風が航海に適していたからだ。クロアティアを中心にアドリア海東岸には数多くの島と入江があるが、西岸にはそれほどない。一方、貿易風が一定の向きで吹く大西洋とは大きく違い、地中海では風向きが変わりやすい。そのため、ここを航行する船は順風を待つため、しばしば港に寄らなければならないのである。

となると、寄港地や、たとえば海が荒れたときに天然の避難港となる入江が多いほうが都合がいい。海賊にとってはさらに、商船を待ち伏せするための絶好の隠れ場所にも恵まれていることにもなる。島影に潜み、標的の商船が近づくと小型の速い船でこれを襲い、追われれば島や入江にさっさと逃げ込めばいいのだから。

さまざまな“海賊”

ところで、海賊というとたいていの人はカリブ海や大西洋の海賊を思い浮かべるのではないだろうか。ドクロマークの海賊旗、堂々たる三本マスト、七つの海を股にかけた大航海……。映画などでおなじみのこのイメージは、一六五〇年頃から一七二〇年代までの「海賊の黄金時代」に負うものである。かれらは主に新大陸で得た富を持ち帰るスペイン船を標的にしていた。

一方、ウスコクは「海賊の黄金時代」の一〇〇年以上前に地中海に誕生し、「海賊の黄金時代」到来を待たずに消えていった。時代だけでなく、活動や外見も一般的な海賊のイメージとはだいぶ異なる。ウスコクとはどのような人々だったのか。それを説明する前に、地中海の海賊についてざっと見ておきたい。

地中海で名を馳せた海賊で、最も古いものは古代ギリシアの海賊である。今からおよそ三〇〇〇年前に、地中海沿岸を行き来する交易船を襲っていた。かれらは地中海の島々の影に潜み、突然姿を現して積荷を盗んでおり、これは後世のウスコクと同じである。ただ、エーゲ海のサモス島のポリュクラテスは大軍で他の島々や海辺の町を襲い、土地まで奪った。そのようなことをウスコクはしていない。また、本来は海の商人で、自衛のために武装していた者たちが、商売が上手くいかなくて他の船や海辺の町を襲いだし、海賊化することもあった。その代表例がフェニキア人だが、この海商＝海賊のパターンも、ウスコクとは明らかに違っている。

古代ローマ時代に入ると、キリキアの海賊が有名だろう。かれらは一〇〇〇隻を越す大軍を擁して島々や海辺の町を襲った。ギリシア時代のポリュクラテスをさらに強大にしたといったところだろうか。このキリキア海賊は紀元前六七年にローマ帝国との戦いに敗れ、姿を消した。

海賊といえば北欧のヴァイキングも有名だ。八世紀から一一世紀にかけてヨーロッパを席巻したかれらは、九世紀には地中海にもやってきていた。略奪のイメージが先行するヴァイキングだが、交易にも力を入れ、新しい土地に自らの国を作り上げた。中世シチリア公国はノルマン人、つまりノルマンディ地方に住み着いたヴァイキングの末裔が地中海に来て作り上げた国である。

中世から近世に至ると、地中海のアフリカ沿岸を拠点とした海賊が登場する。バルバリア海賊である。オスマン帝国のイスラム教徒であり、別名オスマン海賊とも呼ばれるかれらの主な活動は、キリスト教徒を捕えて身代金を要求したり、奴隷として使役したり、売ったりすることだった。イスラム教徒による海賊行為自体は以前からあったのだが、キリスト教徒の真の脅威となったのは、オスマン帝国が拡大するさなか、かれらが「コルセア」という身分となってからだったと言われる。

「コルセア（私掠船）」とは一口に言えば、「（近世）近代国家が認めた海賊」である。海上の暴力は歴史家によって二つの型に分類されるが、まず、第一の型は海賊行為。強盗などの海賊行為は、あらゆる法的規制の外に存在し、自らと仲間たちのための行動である。第二の型は、国家が遂行する戦争と密接な関わりをもった暴力行為である。財政難を抱えていた近世国家は、戦時に、海賊をはじめとする船乗りたちに戦闘への参加を求め、戦力を増強した。国家は安上がりな戦力を確保でき、雇われたほうも戦争から利益を得る好機となった。たとえば英語では、こうした人々を「プライヴァティヤ」と呼んだ。イングランド女王であるエリザベス一世がキャプテン・ドレークに海賊行為を許可したのも、この一例である。

さて、地中海のコルセアはこれら二つの型の中間に位置づけられる。コルセアは海賊行為を働いていたわけだが、戦時だけでなくつねに、その活動は国家からなにがしかの承認・保護を与えられていた。公権力の後ろ盾がない第一の型には収まらないし、戦時に限らなかったのだから第二の型にもはまらない。

先ほどのバルバリア海賊は、正確に言うと「バルバリア・コルセア」であり、イスラム教徒のコルセアの代表例である。その主な活動領域は西地中海で、集団の中にはジョン・ウォード（イギリス人）のようにヨーロッパのはぐれ者や改宗者がいた。たとえばギリシア人のバルバロッサ兄弟も、一六世紀初期にオスマン帝国のためにアルジェ（現アルジェリア）を支配し、残虐な行為で一躍名を挙げている。バルバリア・コルセアの最盛期は、航海術や造船技術を革新させた一七世紀初期から半ばだった。したがってウスコクと同時代、地中海の西の方にはかれらがいたことになる。その後一八世紀にも登場し、一九世紀のウィーン会議でこのバルバリア・コルセア問題が取り上げられ、対策が強化されていく。

因みに、『海賊』と訳されているバレエの演目があるが、イギリスの詩人バイロンの原作のタイトルは『コルセア』だ。キリスト教徒のコルセアがイスラム教徒のコルセアを敵として闘う物語詩になっている。どちらのコルセアであれ、かれらは地中海におけるキリスト教とイスラム教の間のある種の永久戦争のなかに自らを位置づけることで、単なる海賊行為などとは異なる、高貴な行為をなすものと自認していたのである。

キリスト教徒側の有名なコルセアとしては、聖ヨハネ騎士団が挙げられる。かれらは、バルバリア・コルセアから少し東の、地中海が最も狭くなる海域を舞台にしていた。

聖ヨハネ騎士団の歴史自体は一一世紀にさかのぼる。一〇九九年、第一次十字軍遠征の結果、イスラム教国から奪還されたエルサレムの病院に修道会が設立された。この修道会は当初はキリスト教巡礼者の診療・介護にあたっていたようだが、巡礼者を護衛するという名目で次第に武装化し、ついには軍隊と化して聖地の守護を担うようになった。これが聖ヨハネ騎士団である。一一八七年、こんどはアイユーブ朝（エジプト）がキリスト教徒からエルサレムを奪還すると、聖ヨハネ騎士団はキプロスに逃れる（その後ロードス島、さらにマルタ島に拠点を移したため、「ロードス騎士団」「マルタ騎士団」と名称が変わっていく）。聖地を失い、巡礼者を守るという名目を失った騎士団はしだいに、西方世界の権力者（教皇や皇帝・国王、大公ら）からの支援を後ろ盾にキリスト教国を守る軍隊（キリスト教徒の船の護衛も務めた）という役目を保持しつつ、イスラム教徒やユダヤ人を相手に強盗や掠奪を繰り返す海賊、つまりコルセアと化していくのである。

ところで、一五世紀半ばから始まった大航海時代により、大西洋やカリブ海では「海賊の黄金時代」が到来したのは先に述べたとおりだが、一七世紀まで盛んだったカリブ海の海賊行為も、一八世紀になると下火になり始める。徐々に財政基盤と統治組織を整備していったヨーロッパ各国政府は、戦時の兵員と海洋技術者の人材を海賊らに頼ることがなくなったからである。むしろ、平時には海賊行為への対策が厳しくなり、一七二〇年代以降、海賊行為の数は急速に減少した。

一方の地中海でも、海賊行為はゆっくりと終焉に向かった。海賊の舞台の中心が外洋に移ったため、地中海では海賊行為自体が減っていったが、消え失せたわけではなかった。しかし一七九八年、ナポレオンがマルタ騎士団の拠点であったマルタ島に侵攻し、さらに一八一六年、イギリス海軍のエクスマス卿がバルバリア・コルセア（オスマン海賊）の拠点アルジェを砲撃したことにより終焉を迎えた。

ここまで、地中海の主な海賊についてざっと見てきたが、では、ウスコクとはどのような人たちだったのだろう。

ウスコクの実態――難民・兵士・海賊

アドリア海の東岸寄りの海域を行き交う商船を襲撃し、その金品を奪っていたウスコクだが、かれらが活動していたのは一五三〇年代から一六一八年までである。

ここで、当時の情勢を知っておく必要がある。オスマン帝国が勢力を拡大し、オーストリアに侵攻した一六世紀から一九世紀まで、ハプスブルク帝国はオスマン帝国に対する防衛ラインを辺境の地に設定していた。これを「軍政国境地帯」といい、大半が現在のクロアティアを横断し、アドリア海まで伸びていた。ウスコクは、この軍政国境の存在と大きく関わっているのだ。

そもそもウスコクという名の語源はクロアティア語の動詞「ウスコチティ」＝「飛び込む」で、当初「ウスコク」とは避難民全般を指す言葉だったのだが、次第に、クロアティアのセーニという町にやってきて住み着いた国境兵士のこと、最後にはオスマン帝国の台頭から元いた土地を捨てて国境の非正規兵として住みついた海賊を指す言い方になっていく。

ではなぜかれらが〝海賊〟になったかというと、ウスコクの多数は無給の非正規兵であり、暮らしていくための方策のひとつとして略奪行為を選んだためである。軍政国境を守備する兵でありながら、ハプスブルク帝国の国境警備当局にはなんら財政的負担をかけず、自分たちでやりくりしていた。それどころかウスコクは、部隊の指揮官や警備当局に利得の一部を献上していた。国境警備の体制を維持したい帝国にとっては極めて都合のよい存在だったといえるだろう。

マルタ騎士団（コルセア）とウスコクを比較してみると、その違いが浮かびあがってくる。両者はともに、キリスト教対イスラム教という構図の中で誕生した点では同じだが、それぞれの経済的活動の規模や内容で違いがあるのだ。

まず、マルタ騎士団もウスコクも、イスラム教徒の船だけでなく、時には同じキリスト教徒のヴェネツィア船も襲っていた。しかし、マルタ騎士団の場合は、ヴェネツィアがオスマン帝国と通商協定を結び「敵と協力して」いたからで、少なくとも当初は、ウスコクに比べてより確固たる聖戦図式の中で活動を展開していた。

一方、マルタ騎士団とウスコク、両者ともに海賊行為を経済活動として行っていた。しかしマルタ騎士団の海賊行為は、教皇やキリスト教国の支配者らからの援助や、商人からの資本提供を受けての大掛かりなもので、イスラム教徒を奴隷として扱って利益を上げていた一方、ウスコクは先にも触れたように、支援されるどころか自らの稼ぎの一部を当局に上納していた。商人からも、資金提供してもらうどころか、戦利品の売買で買い叩かれた。マルタ騎士団はそれ自体が一つの国家のような権力をもっていたし、カトリック法王の支持を背景にして西欧各地に騎士団領があったのとは大きく違う。ウスコクはオーストリア国家から（一時ヴェネツィアからも）黙認されただけの海賊にすぎず、国際関係上都合が悪くなればいつでも切られる立場にあったのである。ウスコクはあくまで、国を追われたか、国を棄てた非エリートの集団にすぎなかった。一部の　ウスコクはハプスブルク帝国の兵士として給料を与えられていたため一見するとコルセアだ。しかし、給与はあくまで国境警備の任に対してのものであり、海賊行為をするための支援がなされていたわけではないので、コルセアとはならないのである。

ウスコクは海賊である前に難民、そして対イスラム防衛の尖兵、国境警備の兵士であった。しかし実際には、その多くが兵士としてはただ働きにすぎず、海上での掠奪・強盗をしなければ生きていけなかった。だから、生業としての海賊。そんなややこしい存在がウスコクなのである。

ウスコクの滅亡のきっかけは、一六一五年の一一月、ヴェネツィアがオーストリア＝ハプスブルク帝国に対して宣戦を布告した「ウスコク戦争」だ。当初優勢だったヴェネツィア軍はそれを持続できず、一方のオーストリア側も皇位継承問題という内患に見舞われる。両者は一六一七年、マドリードで和平を結ぶ。ハプスブルクは、ヴェネツィアを悩ませていたウスコクをセーニから追放し、その船を焼き払うことに同意した。ウスコクはもちろん抵抗したが、その多くがクロアティア軍政国境地帯の内陸部へ移住させられたのである。

なお、一六二〇年代になっても、セーニとその付近で小規模な活動をつづけるウスコクもいた。しかし一七世紀から一八世紀にかけて、ヴェネツィアとオスマン帝国が戦争を繰り返す中で、かれらの海賊活動の中心は、ダルマティア（アドリア海沿岸）の国境地帯に南下していった。ウスコクであることに変わりはないのだが、ウスコク＝セーニの海賊という認識がされていたため、かれらはもはやウスコクとは呼ばれなくなった。一七〜一八世紀にヴェネツィアとオスマン帝国がカンディア（クレタ島）やモレア（ギリシア南部）で戦いを繰り返す中、自らダルマティア義勇軍を組織した難民についてウスコクという言葉は使われなくなったのである。

日本ではほとんど知られていないが、本国クロアティアでは数多くのうたに詠まれた英雄でもある。巻頭に掲げた引用はフェルナン・ブローデル『地中海』からのもので、「ザゴラ人」とは、ダルマティア・ザゴリェ地方（アドリア海の海岸に沿った山地）の人々の意味かと思われる。

英雄か、ならず者か

ウスコクについては、熱心な支持者もいれば、反感を持つ者もいた。たとえばハプスブルクの大公そして皇帝も、オスマンの攻撃からヨーロッパを守る者としてウスコクを信頼し、かれらをキリスト教世界の守り手と称えた。この見方をローマ法王も支持していたが、他方、当時ヴェネツィアの神学者で歴史家であったパオロ・サルピ師は、「ウスコクなど海賊や盗賊の類にすぎぬ」と決めつけている。こちらの見方は、アドリア海の安全に責任を負うヴェネツィアの将校たちや、航海の安全に不安を抱く商人たちの立場を反映したものだった。この商人たちは、自らの船を出航させるとき、「神よ、われらの船をセーニのウスコクからお守りください」と祈りを捧げたという。なお、当初はウスコクを支持していたハプスブルク帝国も一七世紀以降は、ヴェネツィアの支配層同様に、セーニのウスコクを「野蛮な人種」として宣伝し始めている。

一方で、ウスコクをもっとも根強く支持したのが、国境付近に暮らす村びとたちだった。かれらはウスコクについての証言をほとんど残していない。しかし、どんなに禁じられても、長い目で見ればかれらこそがウスコクの蛮行による最大の犠牲者であるにもかかわらず、村びとたちはウスコク贔屓を続けた。はるか後の世になって国境地帯の農民や牧人たちは、叙事詩を借りてウスコクの記憶を語り継ぎ、その勇猛さ、犠牲の精神、そして名誉を尊ぶ厳しい掟に触れながら、ウスコクを英雄とみなし、かれらをあらゆる権力からの自由の象徴とみなして讃えたのである。かれらはウスコクの手柄を伝える叙事詩によって、アドリア海後方のはるか彼方までウスコクの名を知らしめた。このような詩がどんなに人気があったかは、ウスコクがセーニから追放されてほんの一世紀ほど後、一八世紀初めに編まれた口語詩の膨大なコレクション『エルランゲン・マニュスクリプト』に収められたウスコクを讃える詩の数がいかに多いかということからもわかる。ウスコクの物語は、口承文学だけでなく、劇や小説そして学者のモノグラフを通じて、二〇世紀のわれわれにも想像力をかきたてている。

難民にして略奪者、そして、民衆の英雄。一体ウスコクとは何者だったのか。

第一章　ウスコクとは?

第一節　ウスコクのイメージ

クロアティアのセーニという町を拠点に、アドリア海上や沿岸域を荒らしたウスコク。略奪者、海賊であるかれらは、はたしてどのような存在だったのだろうか。ウスコクについて詳述する前に、人々がどのようにウスコクを捉えていたのかをまず見ていきたい。

民衆がウスコクに抱いたイメージはさまざまだ。ウスコクと同時代の人々のなかにさえ、当然かれらを否定的に捉える者がいたし、肯定的な図像で表す者もいた。その後も西部劇のようなヒーロー像から社会主義リアリズムのような戦士像など、その解釈は現代に至るまでさまざまな幅がある。いくつか見てみよう。

まずはオーストリア側からだが、ウスコクの活動を肯定的に描いている版画（図1）である。ウスコクがセーニから一掃される直前に描かれた版画である。積み荷を奪うため商船を襲っている。背後にセーニの街とネハイ（安心）の要塞とが見える。図中の、オールが左右六本づつの船が

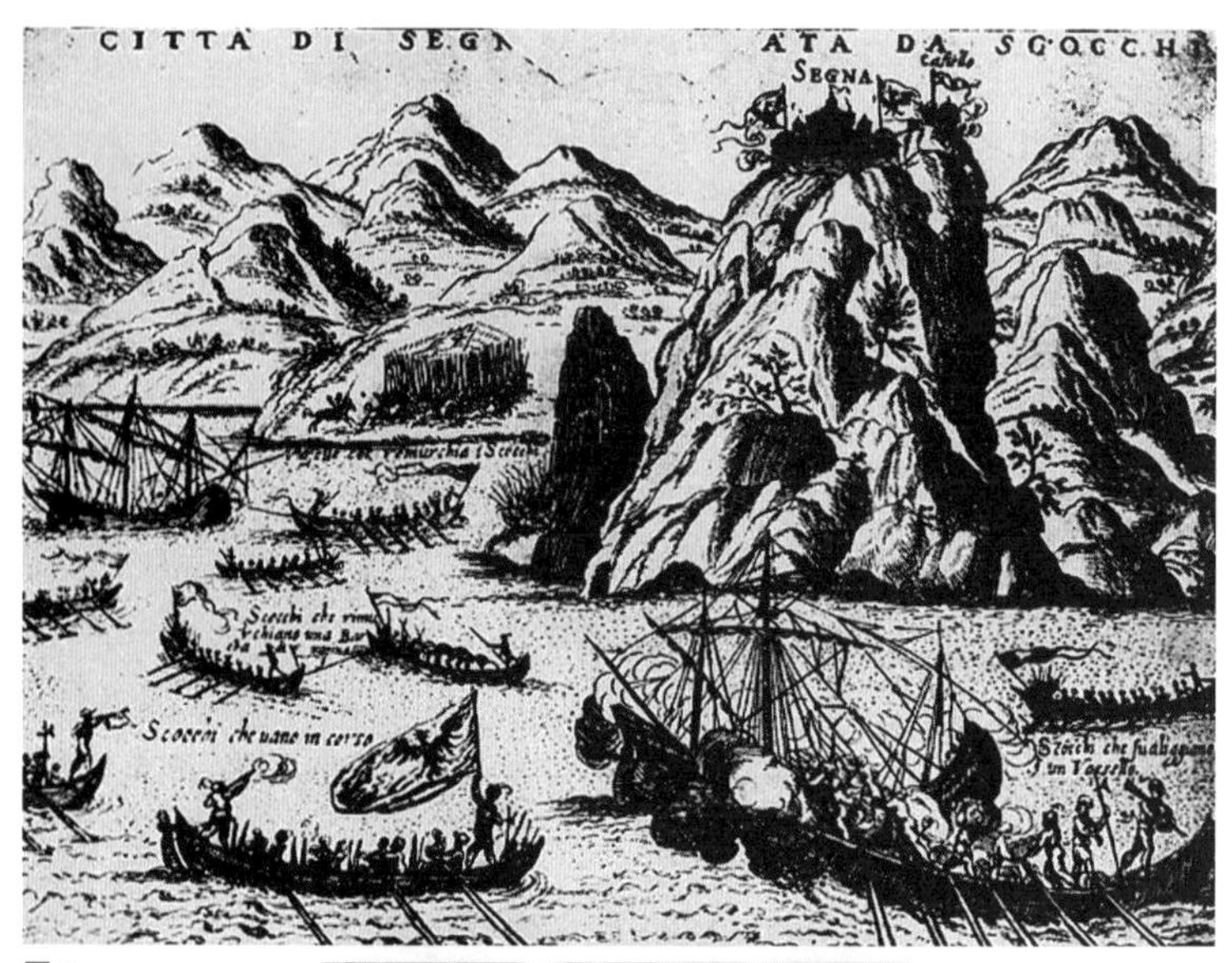

図1

図2

図３

多かったようである。

図２は反オスマンの立場からの絵画である。

時代が下って図２は、ウスコクの英雄的存在であったI・ヴラトコヴィチの義兄弟A・ミラノヴィチが、オスマン兵の手から逃げるところをイメージした絵画である。この絵は一九七四年、歴史画を得意としたクリスティアン・クレコヴィチの作である。

さらに図３は、クロアティアの人気漫画家アンドリヤ・マウロヴィチの作品である。かれは一九六〇年、クロアティアを代表する小説家アウグスト・シェノアの作品（Cuvaj se senjske ruke (Pirates of Senj), Zagreb, 1876）を原作とした、セーニのウスコクの物語を発表した。紹介したページは、ヴェネツィア人に求婚されて岸壁に追い詰められたセーニの娘が、ウスコクのヴォイヴォダ（指揮官）に助けられるシーンだ。正義感に溢れた海の男、といった感じである。

地図１　クロアティアをとりまく三つの大国とアドリア海

マルロヴィチのマンガは、シェノアの原作とともに、今日のクロアティアでも多くの人に知られている。

ここでウスコクに関する漫画や民謡に描かれたウスコクとヴェネツィア共和国との関係について述べておく。

ウスコクの海賊行為に対してヴェネツィアは、時々のオスマン帝国との関係によって、その態度を変えた。一六世紀、ヴェネツィアはオスマン帝国と三度戦争をしたが、その間ヴェネツィアはウスコクの反オスマン活動を奨励した。一方、平和なときはオスマン当局が不満を訴え、ヴェネツィアにアドリア海のオスマン船舶の安全を要求した。

ヴェネツィア共和国は、キプロス戦争（一五七〇―七三）に敗れた後は、経済的な理由からオスマン帝国との平和維持を基本政策としたため両国の関係は安定した。

他方、ヴェネツィアとウスコクの関係は悪化し、とくに一五九六年、ウスコクが境界の要所であるクリス要塞をオスマン帝国から奪取したとき、かなり悪化した。ただオスマン側が間もなくクリス要塞を奪還すると、ヴェネツィアは、オスマン帝国に配慮して、支配下のダルマティアの住民にウスコクを支援しないようにとだけ命じた。そのためウスコクは、ヴェネツィアの輸送船を襲った。

ウスコクのヴェネツィアとの戦いは半世紀を超える。その代表的なものとして二つの出来事があげられる。

一五五七年の、北方のイストリア半島、ロヴィニ港でのヴェネツィア艦隊（およびオスマン船団）との戦いは壮烈だった。一七隻の船からなる艦隊と五〇〇人の兵士と戦って、ウスコクは何とか勝利を収めて大きな金銭的成果を得た。

ウスコクの活躍を示す出来事は一六〇四年にもあった。オスマン帝国の後背地を襲った四〇〇人のウスコクが帰り道をヴェネツィアにふさがれた。ウスコクは小さな島イジュ島の入江に隠れた。ヴェネツィア側は、湾を封鎖し、攻撃をしかけるため日の出を待っていた。しかし、真夜中に、ウスコクの一部が大声で歌いながらヴェネツィア側の注意を引き付けている間、他のウスコクが彼らの船を島の反対側に運び、戦利品だけを残して逃げたのである。

最大の英雄ヴラトコヴィチ

24ページに描かれた英雄の兄とされるI・ヴラトコヴィチは実在の人物だ。かれの裁判と、後の民衆詩からヴラトコヴィチの人となりをうかがい知ることができる。

イヴァン・ヴラトコヴィチの生年月日は不明だ。ヘルツェゴヴィナの出身とされるが、そのヘルツェゴヴィナにもオスマンの地から逃れてやって来たという。かれが史料に現れるのは一五九六年が最初で、この春、ウスコクたちはスプリットの北東にあるクリスの要塞をしばらく占拠したのだが、その中にかれもいた。さらに同年秋には、スプリットをさらに南下したマカルスカの決闘で、オスマン側の指揮者ツカリノヴィチの片腕を切り落とした。翌年、ウスコクの活動に手を焼いていたヴェネツィア共和国は賊に賞金をかけたが、そのなかの一人がイヴァンだった。しかし、ウスコクを擁するオーストリア（ハプスブルク帝国）側は、オスマン帝国との攻防上の拠点クリス要塞を奪還するなどの功績によりイヴァンに二ヶ所の水車の使用権を認め、かれをセーニ国境部隊（隊長区）の指揮官（ヴォイヴォダ）に任じている。だが一六〇一年にはヴェネツィアの軍勢に一旦囚われ、その後解放された。〇三年にセーニが飢餓に見舞われるとかれはウスコク五〇〇人を率いてオスマン領で略奪を働いている。翌〇四年にはリカ地方から海岸を襲い、〇五年にはオスマン領だったスクラディンを占拠し、火を放った。〇六年にはスペイン国王と親交を結び、要塞クリスと重要都市ヤイツェへの攻撃を提案する。しかし〇七年、海賊行為によりセーニを追われ、ヴェネツィアによって、その首に高額の賞金がかけられる。そしてこの秋セーニで捕らえられ、とある尖塔に幽閉された。ところがかれは看守を襲って、塔から綱をつたって逃亡したと言い伝えられている。〇七年から〇八年にかけてイヴァンや他のウスコク指導者は、外国人排斥の動きを見せたために逮捕されるが、イヴァンはこのときも脱獄したと言われる。

一六〇八年イヴァンは、セーニを離れて海賊行為を行ったが、イスラム教徒以外の船も襲ったという理由で告訴された。このころから、かれはヴラーフの大集団を指揮している。

一六一〇年かれがネレトヴァ地方を襲うと、国際関係に神経質になっていた、内（南）オーストリアで実権を握っていた大公フェルディナント（後の皇帝フェルディナント二世）は、イヴァンを呼びつけて、以後オスマンの地もヴェネツィアの船も襲わないことを誓わせた。それでも次の一一年、それまでの行状が裁判で吟味されることになり、かれは弟と共に法廷に立たされたという次第である。翌一二年かれは「同様の事案への見せしめ」として死刑を宣告される。イヴァンは過去の略奪行為は、貧しい仲間たちと同じ気持ちになって行ってしまったが、盗んだものは後に返したと弁解し、それを裏付ける証言をする者もいたが、ついに七月に処刑された。

かれは、ヴェネツィア共和国のウスコクへの不信感が極めてたかまったときに処刑された。繰り返しになるが、かれ本人はヴェネツィアとの無益な戦いを止めるよう配下のウスコクを説得しようとしていた。同じ時期のもう一人のウスコク指導者ハイドゥクが同じキリスト教徒であるヴェネツィアの船を故意に襲ったのとは対照的である。

民衆に謳われた英雄

はるか後の世になって国境地帯の農民や牧人たちは、叙事詩を借りてウスコクの記憶を語り継ぎ、その勇猛さ、犠牲の精神、そして名誉を尊ぶ厳しい掟に触れながら、ウスコクを英雄とみなし、かれらをあらゆる権力からの自由の象徴とみなした。かれらはウスコクの手柄を伝える叙事詩によって、アドリア海後方のはるか彼方までウスコクの名を知らしめた。このような詩がどんなに人気があったかは、既述のようにエルランゲン・マニュスクリプトという詩集に収められた詩の数がいかに多いかということからも判る。この詩集は、ウスコクがセーニから追放されてほんの一世紀ほど後、一八世紀初めに編まれた口語詩の膨大なコレクションである。ウスコクの物語は、口承文学だけでなく、劇や小説そして学者のモノグラフを通じて、二〇世紀のわれわれにも想像力をかきたててくれるのである。

ヴラトコヴィチもまた、民衆に讃えられている。いくつか紹介しよう。ただし詩の中ではイヴァンではなくイヴォ、ヴラトコヴィチではなくセニャニンつまりセーニの男と呼ばれることが多い。

③の「イヴォ・セニャニンの死」は、ヴラトコヴィチが手勢八〇〇でオスマンの軍勢五万を打ち破って死んだことを謡っている。この口語詩はイギリスの有名な東欧史家R・W・シートン＝ワトソンが英語に訳している。

①「イヴォ・セニャニン、村を襲う」

イヴォ・セニャニンが手紙を書いた、
オラホヴォ村（ラグーザ共和国）の（ウスコクと敵対した）ヤンカの元へ。
「我が友ヤンコよ、教えておこう。オラホヴォ村を襲うこと。お前は子らを盗られぬよう、娘と息子を隠しておけ！」

手紙を読んだヤンカは子らを閉じ込めた。そしてイヴォらはオラホヴォの、村を襲って火をつけた。ただヤンカの館には行かなかった。

けれどもウリサヴァの婆（ばばあ）が罵った。

「イヴォ・セニャニンの罰当たり！　盗みの限りを尽くしおる。唯一救いは子らを残したこと」

すると、イヴォの手下が村に戻り、ヤンカの子らをさらって行った。

ヤンカはかれらの後を追い、

「イヴォよ、子供を返してくれ」とたのんだが、イヴォは美しい娘は返さない。息子を返して、セーニに戻り、盗んだ品を皆に分けた。ヤンカの娘、一人はイヴォの、もう一人はイヴォの甥の嫁になった。

②「イヴォ・セニャニン、捕らわれた妹を取り返す」
ヴェネツィアからの立派な船がセーニの町にやって来た。へさきは銀の、ともには金の飾り付き。帆には緑の絹の布。

イヴォ・セニャニンその船に、闇にまぎれて漕ぎ寄せた。

ヴェネツィアの旦那が声かける。

「若い船頭よ、セーニの海賊とイヴォ・セニャニンを見たことがあるかい」。

イヴォは、騙してこう答えた。

「ヴェネツィアの旦那！近頃、若い娘を嫁にもろたとかきいております！イヴォを祝言にでもお呼びかね」

すると旦那が答えた。

「冗談ぬかすな、奴のせいだ。この九年ほど、生きた心地がしない。船は襲われ、ワインも絹も奪われる。絹はセーニの娘が着飾っておる。

だからセニャニンの下へ案内せい！そしたら小さい頃に連れてきた、奴の妹を返してやる、一千枚の金貨をつけてな」。

待っていたとばかりにイヴォは言う。

「その娘を連れてくりゃ、イヴォのところへ案内しよう」。

連れて来られたイヴォの妹、兄の船へ跳び乗った。

そしてイヴォがこう叫ぶ。

「面舵いっぱい、セーニを目指せ」。

ヴェネツィアの旦那は鉄砲を取りに、
その間に船は一目散。

③「イヴォ・セニャニンの死」

イヴォの母が夢を見た。瑠璃色だった空が割れ、星がかなたに飛んでいく。

月は墜ちてく。教会の屋根へ。セーニのルジツァ教会の。
上る明星血まみれの色。
悪い予感を感じた母は、金の王冠取り出した。それを手に持ち、ルジツァの
教会に駆けつけた。
「司祭様、夕べ恐い夢を見ました。
瑠璃色だった空が割れ、星がかなたに飛んでいく。
月は墜ちてく、教会の屋根へ。セーニのルジツァ教会の。
上る明星血まみれの色」。
そこで司祭はこう言った。
「イヴォの母さん、お気の毒。
瑠璃の空が割れたのは、戦士がたくさん死んだあかし。
星がかなたに飛んだのは、寡婦がたくさん増えること。
月がルジツァに堕ちるとは、私の首がはねられて、教会がトルコ兵に壊されること。
明星が血の色なのは、お前の息子が死ぬということじゃ」。
そのときイヴォがあらわれた。黒い子馬は血だらけで、イヴォも全身傷だらけ。
母が尋ねてこう言った。
「イヴォよ、愛しい我が息子！
イタリアからの帰りだね。金品・財宝盗ったのかい」。

するとイヴォはこう言った。


「愛しい母さん、向こうでは、金品・財宝ぶんどった。

一つの城では白い馬、勇者が白いターバン巻いていた。

火を放ったら敵は全滅、こちらは全員無事だった。

次の城では黒い馬、勇者が黒いターバン巻いていた。短いコートに長い銃。

火を放ったが敵は無事、こちらは大変な被害。

俺らだってひどいけが、たぶん助からないだろう。

柔らかなマットを敷いてくれ。だけど頼むよ小さなマット、長くは苦しませんでくれ」。


母はマットを大きく広げた、息子が楽になるように。

柔らかなマットの上で、イヴォは母に別れを告げた。

「さよなら母さん、お達者で」


これらは貧しい民衆の詩である。異教徒（イスラム教徒）との戦いは尊く重要なものであるだけでなく、生きるための盗みもまた必要なものとして容認されている。後述するようにイヴァン・ヴラトコヴォチはヴェネツィア人から盗んではいない。しかし海岸の民衆のヴェネツィア人に対する姿勢は少し複雑である。かれらは同じキリスト教徒でも、ハプルブルク帝国の人間であるウスコクが、敵国のオスマン帝国と取引するヴェネツィア人、それも豊かな商人から盗むことは正当であると考えているのだ。

略奪という聖戦

オスマン帝国、ハプスブルク帝国（オーストリア）、そしてヴェネツィアが三つ巴となって制海権を競っていたアドリア海。一六世紀にはヴェネツィアを要として、東のイスラム圏と西のキリスト教圏を市場を介して結びつける回路が形成されていた。レヴァント（現在のシリアやレバノン、イスラエル、エジプトを含む東地中海沿岸）から西方世界へ向かう陸と海のルートは、ヴェネツィアに収束した。オスマン帝国のコンスタンティノープルやスミルナ（現イズミル）、アレクサンドリアなどの海港を発ったガレー船（漕手が櫂を漕ぐことで進む船）や丸型帆船はオトラント海峡（イタリア半島とアルバニアの間）を通って、食品、スパイス、上等な布といった「東」の品々を乗せてヴェネツィアを目指した。当時のヴェネツィア共和国はアドリア海の制海権をほぼ握っていたといってもよく、ダルマティアなどの沿岸部を広く領土としていた。

陸上の交易ルートもまた、ヴェネツィア共和国およびその商人たちがまたネレトヴァ河口で、のちにスプリットへ陸路やって来るキャラバン隊がバルカン後背地の蜜蝋や蜂蜜、皮革だけでなく、オスマン帝国の遠隔地から原材料、商品を下ろした。

また、西方世界の製品や物資もヴェネツィア商人によってオスマンの市場をめがけて運ばれた。もちろん、ヴェネツィア商人だけではなく、アドリア海を定期的に往復するすべてのキリスト教徒船隊がムスリムやユダヤ人といった異教徒との貿易に関わっていた。一五八六年、ユダヤ人商人が、キリスト教徒の海賊が繰り返し積荷を略奪しているとローマ教皇に訴え、もはや交易を停止せざるを得ない状態になっていると迫った。ローマ教皇シクストゥス五世はこのとき、ユダヤ人もキリスト教徒もオスマン帝国との交易が許されること、密輸でさえなければ、かれらの商品を出荷することを許可すべきであると宣言した。

この「キリスト教徒の海賊」とは、おそらくウスコクのことだろう。クロアティアのセーニを拠点としていた〝海賊〟ウスコクはどこであれ、標的の船を停められれば、その船に乗り込んだ。もし船の足が遅ければ海上で停船させたが、大抵は湾や港で錨を下ろしているときに乗り込んだ。ただし、乗り込んだ船によって対応は変えていたようである。

たとえば一五九九年七月の出来事として、次のような話が伝わっている。コトル（現モンテネグロ）からの船に近づいた六〇人のウスコクは、「お前らがキリスト教徒なら逆らうな！　イスラム教徒ならば武器をとって戦え！」と叫んだ。コトルの乗組員がどちらについても問答無用と答えたところ、ウスコクはすぐに発砲し、相手の船に飛び移り、船主は誰か、それはユダヤ人かキリスト教徒かどうかを確かめてから、略奪品を決めたという。時にはウスコクも、セーニの隊長なり軍政国境上層部の書状を見せたが、それは異教徒の襲撃を許可し、オスマンの品々を掠奪することを認めるものだった。

海上（ときには陸上）での略奪行為によってアドリア海周辺にその名を馳せたウスコクらだが、自分たちのことを「海賊」とは思っていなかったかもしれない。実はかれらは異教徒との対立構造、つまり「聖戦」のなかに自分たちを位置づけていたのである。

ウスコクは、キリスト教徒の船長と乗組員とが根っこのところで通じ合い、自分たちの略奪を許すだけでなく賞賛するような、ある種の価値観の共有を秘かに期待していた。実際、ウスコクを支持する姿勢は見せられなくても、かれらの行いを分かってくれている者もいたし、船長の中には明らかにウスコクと協力関係を結ぶ者もいた。一時ペラスト（現モンテネグロ）の船員たちは、自分たちと同郷の者がセーニに数多くいたという理由で、セーニに船荷を引き渡したことで一躍有名になった。一五八一年一月、あるペラストからの船が、事前の対策を忘れたために、ウスコクの一団に乗り込まれた。船に居合わせたイスラム教徒の商人は逃げようとしたが、ペラスト船の船長はこう告げた。「ご案じめさるな！我らはウスコクの衆とも取り決めを結んでおります」。しかし、船はセーニまで行き、そこでトルコ人は人質にされ、積荷は没収された。一方船乗りたちは下船し、ウスコクたちと一緒に飲み食いをし、襲撃の成功を祝したという。しばらくしてヴェネツィア当局者がペラスト船の船長と出会った際、この船長は分け前として四七三枚の皮とまとまった量の毛織物を受け取ったことを認めている。ヴェネツィア艦隊長は、ある報告の中で、「ペラストの船乗りがこういう所業をするのは今に始まったことではない」と記しており、このように他国船の船長や乗組員の中には、ウスコクに協力するものも確かにいたのである。

では、ウスコクが「客観的な」正当性にもとづいて略奪を行なったかといえば、それはありえない。近世のアドリア海は、国家同士の取り決めなどの公式な合意と、境界を越えた貨幣と商品の流れを生むような、いろいろな非公式の慣行との二重構造になっていた。ヴェネツィア共和国とドゥブロヴニクはオスマン帝国と特別な取り決めをし、ドゥブロヴニクは毎年貢納金を払っていた。ハプスブルク帝国にしても、オスマン軍勢の大規模攻勢を止めさせるため、一六世紀には毎年貢納金を支払っていた。一方絶え間ない戦争に巻き込まれた現地の人々は、密輸つまり関税を払わない禁制品の取引や略奪を基本とした戦争経済を非公式な方法として発達させた。

オスマンの軍勢はアドリア海の南東海岸とその広大な後背地を征服した。オスマン帝国にしてみれば、一五三八年から一五七一年まで、地中海全体を自分たちが力で支配していたのだが、アドリア海についてはヴェネツィアの優位を認め、ヴェネツィアの交易ルールを受け入れていたというのが実情だった。一五、一六世紀、オスマン側はヴェネツィアの船と国民を保護することを約束した。オスマン商船はアドリア海では武装してはならず、旅券の所持を義務付けられ、定められたルートをたどり、ヴェネツィアで関税を支払った。そうしてオスマン商人は、ヴェネツィア領ではヴェネツィア領民と同じ権利を認められたのである。オスマンの商人たちは、アンコーナとヴェネツィアの両港で、一五世紀から一七世紀までアドリア海の公式な交易をおこなった。オスマン商人は、オブロヴァッツなどの港をダルマティア海岸に持っていた。因みにギリシア人も、オスマンの旗の下で航行したため、オスマン商人とみなされた。

ウスコクに話を戻すと、かれらはオスマン領で略奪したものであれば、キリスト教徒商人の商品だとしてもかれらの正当な戦利品とみなした。しかしウスコクが、略奪が許されない品を選別するため、積荷のリストを船長に要求したという証言もある。キリスト教徒に属する商品が特別に返却される場合もあれば、戦利品と認められるまでセーニで保管されることもあった。ウスコクが聖戦の掟を無視してキリスト教徒から略奪したように見える場合でも、ただ戦利品に飢えていたというだけではない何らかの理由があった。あるウスコクが、一五九二年にこう述べている。「たまたま積荷にキリスト教徒の品が混じっていたとしても」、「それでも私たちが正当性を失うことはありません」。ウスコクは何か慎重に見定めるべき理由が、キリスト教徒の商品の略奪を正当化してくれると考えていた。その理由とは、キリスト教徒商人が異教徒と交易を結ぶという罪であり、これに対する罰つまり教皇による破門は当然だということだった。ウスコクたちは、この罪と罰について身近な教会で教え込まれていたのである。

ただし、この罪の意識や、破門の脅威でさえも、当時盛んだったレヴァントとの密貿易を防ぐことはできなかった。この種の非公式な貿易は、その性質上記録には断片的にしか残っていないが、とくに戦闘に必要な銃や弾丸、金属は、キリスト教の境界を守る者たちにとっては正当な交易品に見えていた。一方、キリスト教徒に対して使用される可能性のあるものは、すべて禁止された。この点では、ある聖職者が繊維製品、穀物などほぼあらゆるものをキリスト教世界の犠牲の上でオスマン帝国を強化する用品とみなしたのも無理はなかった。そのような用品の貿易はオスマン帝国を強化し、「西」を弱める以外の何ものでもなかった。「商人がトルコ人に何を与えているか、考えてもみなさい。金、銀、布、鉄、軍事に役立つ他のものである。一方かれらが西洋に何をもたらすのか?綿、コショウ、シナモン、クローブ、宝石、真珠ぐらいである」。

前者の、（異教徒と交易を結ぶ）罪に関する観念はウスコクの襲撃を正当化したと考えられるが、後者の、聖職者が指摘した味方に害をおよぼす貿易への疑念をウスコクが抱いていたとは考えにくいところである。それどころか、むしろ、セーニの経済全体が両方の意味の国際貿易に基づいていたのである。かれらが食い物にしていたキリスト教徒の商人は、アドリア海の商取引に関するセーニの競争相手であり、その貨物を無理やり押収することは、ある意味では、セーニの競争力不足を埋め合わせる行為だったとも言える。かれらが襲撃によって自分たちの財布を満たしただけでなく、多くの聖職者が唱えてきた「キリスト教世界の防壁」になるという義務をはたしていた以上、これらの船を略奪するのにためらう理由は何もなかったのである。

第二節　ウスコクの両義性

聖戦の構図の中で英雄になった最たる人物、それが先ほどのイヴァン・ヴラトコヴィチである。一六一二年、ヴォイヴォダのヴラトコヴィチは軍政国境当局により逮捕され、裁判ののち処刑される。このときハプスブルク帝国とヴェネツィア共和国の間でウィーン合意が結ばれ、ヴェネツィアによる海上封鎖の解除などと引き換えにセーニの「海賊」を掃討することが決められたのである。

ヴラトコヴィチは、当時、補給物資や貢納金の略奪を指揮したと報告されており、後にヴェネツィア、ラグーザ（地図1参照）そしてオスマン帝国の船や財産を略奪した嫌疑がかけられた。しかし、かれ自身はトルコ人の船や財産しか襲っていないと言い張った。かれにとって、異端者への攻撃は正当であるだけでなく称賛に値するものだったが、かれを取り巻く世界の側が変わってしまう。かれの行動は当局からの承認は得られず、さらに一六一〇年の八月には、部下をあらゆる略奪から遠ざけるようにという軍政国境当局の要求に屈せざるを得なくなる。自身とリチ地域の部下たちが「海でも陸でも今後いかなる略奪も慎み、ローマ法王庁の臣民たち、またはラグーザやヴェネツィアの、トルコ人やユダヤ人の、つまりはあらゆる国の国民に害を及ぼさない」という声明に署名させられた。ヴラトコヴィチは部下に対してこうした行為をすべて禁止し、従わない者は処罰することを明言した。リチのクルンポチャン衆（牧畜民）だけでなく、セーニのウスコクについても、「隊長の地位、名誉、頭目、妻、そして子供」の損失という重い罰を受けるものとして。だが、それから一年も経たないうちに、イヴァン・ヴラトコヴィチと弟ミホはカルロヴァッツで投獄され、宮廷軍事局の命で裁判にかけられた。取り調べは主にオスマンやヴェネツィアの住民への略奪について行われ、さらにセーニ隊長への不服従や反抗、そして軍政国境当局が調達した物資の流用についても行われた。

この事案について、セーニのあらゆる住人から、多くの証言が集められたが、ヴラトコヴィチ兄弟の起訴内容と軍政国境当局の声明は、主に軍の規律とハプスブルク帝国の治安に関連するものだった。リイェカにあったセーニの商館で物資補給の責任者だったイェレミアス・ホフは、ヴラトコヴィチが補給物資を横領したと訴え、セーニに派遣された使節のイヴァン・ガルや、ヴラトコヴィチのライヴァルだった四人のヴォイヴォダ（ウスコク部隊の指揮官）は、二人の兄弟がセーニの「あらゆる悪戯や悪行」の首謀者だったと述べ、かれらを追随する者が数多くおり、下っ端のウスコクたちの多くがこの兄弟に従う一方、兄弟は自分の目上の者にわずかな敬意しか払わなかったと非難した。同兄弟を弁護しようとした二人の副隊長、ズアネ・ジャコモ・デ・レオとハルツ・アイヘルブルグも、自分たちの証言を、秩序を維持し加害者を罰することにどれだけ協力をしたかに集中させている。一方セーニの人々は、同兄弟をキリスト教世界の守り手だとか、トルコ人に対する英雄的戦士であることを前面に押し出した。ウスコクの頭目であれ、その他のウスコクであれ、セーニの判事、貴族そして平民までもが繰り返し、ヴラトコヴィチ兄弟は「決して自分たちの義務や仲間に背くことはない。大公閣下の諸都市をトルコ人に手渡しはしない。その部隊に背くことはしないのである。それどころか、むしろオスマン要塞の直下で戦う国境騎士として、いつも忠実にトルコ人とその軍勢と戦ってきた。そうして栄えあるオーストリア王家のあらゆる敵に対して命を懸け、流血を恐れなかった」との賛辞を繰り返した。セーニ聖堂の参事会は同兄弟がキリスト教世界のため、軍政国境のために戦ったと綴っている。「かれらは良きキリスト教徒であり、カトリック教徒である。教会と修道院を敬愛し、なおかつ軍政国境の将校たちの命に従わなかったり、背いたりした者を追跡し、追放した。そしてそのような者を罰するために自らの命を投げ出した」。

結局イヴァン・ヴラトコヴィチは、一六一二年七月三日にカルロヴァッツで死刑を宣告される。セーニの物資の横領というのがその罪状だったが、判決の真の動機はウスコクに軍の規律を課すことだった。最終的な判決文も、こう記している。「かれは、一つの警告としてこの罰を受け、斬首されることになった。それは神と皇帝の正義が要求するところであり」、グラーツの宮廷軍事局（一五七八年に内オーストリアの中心地グラーツに設置された軍事行政組織。内オーストリアに加えクロアティアやスラヴォニアについて内オーストリアの大公や貴族が管理した）の布告に挑発的な態度をとったり、「同様の行いをすれば、だれしもがそうなるという見せしめ」なのである。ヴラトコヴィチの訴えは、かれとミクラニッチ（オトチャツの指揮官）が以前人々に知らしめた、クロアティアの国境兵士と軍政国境のハプスブルク高官の役割がいかに違うかを繰り返すものだった。それは、宮廷軍事局とウスコクの切羽詰った要求との板挟みになり、最後はわずか九フロリン分の物資のために告発されたかれの立場を浮き彫りにしている。「私はオーストリアのあまりに厳格な軍事裁判において、他ならぬこのような罪で死刑を言い渡されました。貧しい、投獄されたクロアティア兵士である私は若いときからあらゆる場面で大公閣下にお仕えしてきました」。この訴状は判決に何ら影響しなかった。死刑執行の後になってから届いたからである。まさに「無視されるべく、遅配された」訴状だった。この判決が執行されたのが、早急にウスコクをセーニから一掃されたい、というヴェネツィアからハプスブルクへの要求を受けて、ヴェネツィアとウスコクの緊張が高まった時だった。ヴラトコヴィチの処刑からまもなく、フェルディナント大公はウスコク撲滅についで合意するためヴェネツィアに大使を派遣し、この年の末、セーニの改革と引き換えにヴェネツィアは海上封鎖を解くという内容の、いわゆるウィーン合意書に署名した。

歴史に消えたならず者

ヴラトコヴィチはヴォイヴォダの特殊なタイプであった。その権威がウスコクたち自身の誇りにもとづいており、その影響力はすべてのウスコクを統合するほど、少なくともそれを試しうるほど絶大なものだった。軍政国境当局によって処刑されたのがヴラトコヴィチだったことは、歴史の皮肉と言える。他ならぬかれこそが、トルコ人からの略奪を禁じる命に従わなかったとはいえ、ウスコクがヴェネツィアと正面から戦うという自殺的な行為を、少なくとも止めさせるよう試みていたからである。しかしグラーツの宮廷軍事局は、かれのこのような指導者ぶりを許容できなかった。軍政国境の指導部は一五八二年には、ウスコクによる一斉蜂起を恐れてヴォイヴォダ、ユーライ・ダニチッチの身柄を確保することもためらったのだが、イヴァン・ヴラトコヴィチが処刑された一六一二年、どこからも抗議が沸き起こることはなかったのである（セーニで、ある程度噂にはなったようだが）。この時点では、ウスコクやその指導者たちにたいする宮廷軍事局の権勢は絶大で、このように大衆に不人気な決定でさえも実行することができたのである。

ではヴェネツィアにたいして思慮を欠いた略奪を繰り返した頭目ユリシャ・ハイドゥクはどうなったのだろうか。実はかれに関する記録は一六一二年の半ば以降途絶えており、その顛末は定かではない。歴史家の中には、プリッサ某こそがこのハイデュクであり、軍政国境からの使節によって「最も横柄な指導者の一人として」要塞の手すりから吊るされたと見る者もいた。もし実際そのような最後だったとすれば、かれの処刑はほとんど何の儀式も、ことばもないものだったと思われる。おそらくユリシャ・ハイドゥクは、軍政国境の当局からすれば、イヴァン・ヴラトコヴィチに比べて、さしたる脅威ではなかったのだろう。ユリシャ・ハイドゥクはセーニの掟を破って、トルコ人と戦う義務以上にヴェネツィアへの報復に躍起になり、そのことが原因でヴラトコヴィチと衝突したのだった。ウスコクに関する口語詩の中でユリシャが登場する度合いがヴラトコヴィチにはるかに及ばないことは、口語詩の最古のコレクションを見ても明らかである。ヴラトコヴィチは、何より異教徒と戦ってキリスト教世界を守るべきことを強調し、いつもセーニの掟を守るよう唱えていた。ヴラトコヴィチを不服従の罪で告発することはできる。それでもセーニの価値観からすれば、かれの正当な権限を主張できた。なぜなら、「キリスト教世界の防壁」という理念に忠実だったのはかれであり、目先の政治的便宜のためにその理念を裏切ったのはかれの敵対者（ウスコクの指導者の中の敵対者、危険なヴェネツィア人たち、あるいは軍政国境の代表者たちも）の方だったからである。

　ヴラトコヴィチの他に、ここまで強力なウスコク指導者はセーニに登場しなかった。この力はいまやウスコクの数多い頭目たちの間に分散され、頭目たちがヴォイヴォダやセーニの町の態度を導いていたのである。

厄介な友人？

　ウスコクとダルマティアなど沿海地域の民衆との関係については、まず、ウスコク・民衆とヴェネツィア当局との緊張関係を見れば、ある程度うかがい知ることができる。

　この緊張関係を浮かび上がらせてくれるのが、パグ島ノヴォリャ村の住人、フランチェスコ・ボシャイノの裁判である。一五五七年五月、パグ島の草原で羊の毛を刈っていた、ある羊飼いが一隻の船を見つけ、それが近くの入江に上陸するのを目撃。羊飼いは、この船に乗っているのはオスマンのコルセアではないかと思った。その数日前、北の海岸でオスマンのコルセアが二隻の船を奪う事件があったからだ。だが、数日後副修道院長率いる一団が捜索したところ、このよそ者たちは実はウスコクで、オスマンのコルセアを追っていたところ、ブーラ（北東の強い風）にあおられて接岸したのだった。ウスコクたちは四日間ワインを切らしており、村人からワインを買おうとした。しかしノヴォリャ村にワインはなく、唯一、ボシャイノという富農のところにだけワインがあった。だがボシャイノは、村人にも町の貴族にさえワインを売ることを断っていた。季節は春で、村のワインはほとんどが飲み尽くされており、次の収穫までかなり間があった。ボシャイノは自分が飲む分を確保したかったのか、あるいは時間の経過とともにワインの値が上がるのを待っていたようだ。

このボシャイノだが、以前はウスコクと仲良く付き合っており、ウスコクたちがノヴォリャ村に来るとかれの家によく寄っていた。ところが、ウスコクはかれに恨みを抱くようになっていた。というのは、その付き合っていた折に、ボシャイノがあるウスコクの逮捕劇に加担し、ヴェネツィアの裁判所にかれをつきだしたのだ。以来ボシャイノは、ウスコクの報復から身を守るため、武器の所持・携帯を請い、許されていた。このときボシャイノはウスコクに呼ばれても、会いに行かなかった。ウスコクの方は仲間の中にボシャイノの親戚もいるし、危害を加えるようなことはしないと説明する。そこでボシャイノはウスコクたちと会い、仲直りをした。そしてかれは、ウスコクにワインを送る許しを請い、送らなければ奪いに来ると脅されている旨上申した。それを聞いた副修道院長は、「奴らは悪魔のように暴れまわる輩だ」と罵ったが、かといって、ウスコクと一戦を交えるつもりはなかった。ボシャイノの要請が通ったかどうかは定かではない。ともかくボシャイノは、ロバにワインを括りつけてウスコクに送った。ワインは友情の復活の証だった。

次の日ウスコクは、夜明けとともに旅立ったが、村は、ボシャイノが「セーニの人々」と友情を交わした、島民にはワインを売るのを拒みながら、ウスコクにはヴェネツィアの法に背いてまでワインを送った等々、すでにこの話で持ちきりだった。

ことが知れ渡ると、ボシャイノにたいする非難の声が一気に高まった。かれがウスコクと関係したことは周知の事実になり、何事もなしには済みそうになかった。ボシャイノは告訴された。この裁判の記録は、ウスコクをこう表現している。「公の敵、名だたる領主の最大の敵にして、その領地から追放された悪名高い暴漢で人殺し、そして当たりを見張って、昼夜を問わずこのくにを動き回って民を襲い、危害を加える海賊である」。そして、このとき証人になった者たちは、口ではヴェネツィアのウスコク撲滅策を礼賛した。だが実際はこうだった。村人の間で、ウスコクを本気で嫌がるものはほとんどいない。村人たちは、当初島に来た船はイスラム教徒のコルセアだと思っていた。それが、ウスコクだと分かると、兵士派遣の要請を取り消した。ウスコクの船が島の付近にいれば心強いからである。中には、ウスコクに食料を売る者もいたのである。

裁判の証人たちは、一様に、ボシャイノは恐れと友情の入り混じった感情で行動したと見た。そのどちらが強かったかについては、意見の分かれるところ。ボシャイノの動機をどう見るかは、かれにたいする各自の態度によっても違っただろう。パグ島では、ボシャイノがワインを売らなかったことを執拗にとがめる向きもあった。そこからは、かれが村人たちの感情を害していたことも分かる。ボシャイノ自身、最初は無理強いされたにしろ、「自分を悪く思っていたセーニの英雄たちが、今や皆自分の友だちだ」ということが分かったようで、ウスコクに友情を感じたのだろう。それに、ヴェネツィア当局に怯える身になったとはいえ、ウスコクに協力したことで何かの見返りが得られるかもしれない。だからかれは、ウスコクを援けたことを秘かに喜んでいたと思われる。ボシャイノ以外にも、ウスコクとの接触に慎重で、したがって裁判記録にもあまり登場しない男女が、実はウスコクを援けていたのである。

ボシャイノの一件から分かることは、村人とウスコクの関係は損得勘定だけでは割り切れないということ。損得だけでなく、恐れと親近感、トルコ人を襲えば憂さが晴れる思いとヴェネツィアから下される刑罰に怯える心とが入り混じっていたのだ。実際のところウスコクは、必要な物資を手に入れるのに代金を払わず、しばしば力に訴えていたし、トルコ人からの掠奪に失敗すると、村人たちから家畜を奪い食料にしていたようでもある。

そのことへの不満がとくに表れたのが次の、ラシャナツ村のケース。そこはウスコクが海からオスマン領の後背地に行くとき、頻繁に通るザダル県との境界に位置していた。村人たちの報告によれば、ウスコクはただで飲み食いした以外は、何の危害も加えなかった。「自分たちに戦利品があるときはそれを持って村に来て、また持ち帰った。そんな場合は何の問題もなかった。しかし何も戦利品がなかったときは、われわれからものを奪っていく」、と村人は嘆いた。それでもかれらはウスコクの「訪問」に寛容だった。

ただこうした振る舞いも、度をすぎれば赦されない。互いに認めた限度があるということは、ある羊飼いが怒ってセーニにやって来て、判事に「不心得者」を訴えた例から分かる。この羊飼いは、羊一匹や二匹ならともかく、群れ全体をウスコクが掠奪した、そのことを罰してもらいたかったのだ。この事件は、クルク島のバシュカ村に住むヘレナ某が訴えた事件である。この男はウスコクからひどい襲撃を受け、苦情を訴えに二度もセーニにやって来た。そしてついにセーニの治安判事の理解を得る。

また一五九二年、ヴェネツィアがセーニを海上封鎖した時のこと、ラブ島で山羊とチーズを盗んだウスコクのケースからも、海賊に物資が提供されるのは必要に迫られたときだけだということが分かる。訴えられたウスコク、ペーロ・ツルノイェヴィチは、逮捕された理由を聞かれて、「去年一年間やったことの報いだろう」と答えた。この男はラブ島やツレス島そしてクルク島などの島々でチーズや家畜を盗み回ったのだが、それは自分の必要のためではなく、盗んだものを売って自分の「親分」をもうけさせるためだった。とくにツレス島では一六匹の羊を奪い、それをヴィノドルの羊飼いに一匹あたり二リラで売り付けた。これと対照的なのがマティア・グルモルチッチの場合で、かれはセーニを離れてラブ島にいたとき食料が足りなくなり、ウスコク仲間の影をちらつかせながら島の羊飼いに山羊やチーズを提供させた。ただかれの場合、「何度も家畜を奪ったけれども、それは食べるためであり、売るためではなかった」ことを強調している。どちらの場合も刑罰に値するのだが、セーニの中央広場に立つ砦の窓から放り投げられたのは、ペーロ・ツルノイェヴィチの方だった。その亡骸は見せしめのため、吊るされたままにされた。

許容の限界はどの辺だったか、それを無視した人間を見ればもっとはっきり判る。ウスコクが皆この限界に注意を払い、それを守った訳ではない。中には貪欲すぎたり、加虐的だったり、あるいは自己中心的な者もいた。またウスコクの中に節度のない単なる海賊がいたこともたしかであるため。しかしこうした輩は、あまり長くウスコクでいられなかった。この種の人間は、その行動を認めないかあるいは人々の信頼を損なうことを許さないウスコクによって処罰されることがよくあった。一五九八年ウスコクのヴォイヴォダたちがとった態度がその例であり、このときヴォイヴォダたちはダルマティア総督にたいし、「貴国のダルマティアの港や島々を荒らし回るところのならず者ども」を討伐するためにセーニを出発し、「奴らを見つけ次第セーニに連行するつもりである」

で活動できるのであり、そのことをヴォイヴォダたちはよく分かっていた。

ダルマティアの人々は、時折、あまりに欲をかいた暴力的なウスコクには、自ら正義を行使した。ウスコクの要求が過大になれば、それまでかれらを支持してきた人々も忍耐を失い、敵対する側にまわる。そうした例の一つが、ツレス島プルタ・クリージャ村のケースである。この村の人々は、ヴェネツィアがセーニを海上封鎖していた間、何度もウスコクの強奪を受けていた。四人のウスコクが公然と村を襲い、家々を回って「着るものや食料、金銭その他ありとあらゆるもの」を人々からはぎとって行き、自分のわずかな財産を守ろうとした者に向かって「殺すぞ」と威したため、村人は一致団結してウスコクを殺害し、かれらの首を晒し台に並べたのである。

それまでウスコクは沿海地域での食料の徴発を自制してきた。だがその自制も、絶望的なまでの窮乏を前にすると、ついに崩壊する。ヴェネツィアによる封鎖に怒りを抑えきれなくなったとき、そしてとくにヴェネツィアの追討によってオスマン領への襲撃ができなくなったとき、ウスコクはそれまで守ってきた節度を失ってしまうのである。やはり一五九八年のこと、ヴェネツィアによる封鎖に苦しめられたウスコクは、ラブ島の人々に向かって「お前たちの親玉がわしらのトルコ行きを邪魔するから、わしら、この辺りの島々を襲うしかなくなるんじゃ」、と言い放った。「手あたり次第に金品を奪いきって、わしらの思うようにお前ら全て、旦那もその倅らも、皆殺しにするか、奴隷にして売りつけてやる」、とも。こうした襲撃は、旦那衆だけでなく、かつてウスコク仲間だった農民も対象にしたため、襲撃はトルコ人という共通の敵だけを襲うという、ウスコクの正義そのものを危うくする危険性を孕んでいた。オスマン領内に入れなくなったウスコクは、次第にイストリア半島やダルマティアの島々に食料を求めるようになり、村人たちは我慢を強いられる。しかし一五九〇年代と一六〇〇年代の初め、ヴェネツィアの軍事的圧力が最も大きかった時期でさえ、沿海地域の住民とウスコクの間に、ある程度の協力関係があったこと、これもまた事実である。

第二章　ウスコクの社会

第一節　拠点の町、セーニ

アドリア海の東側に海岸線がほぼ直角に曲がる所があって、セーニはそこに位置する。今は造船所がある、にぎやかな街リイェカが近くにある。そこに比べるとセーニはひっそりとした町である。だが一六世紀の末は、ここがウスコクの拠点だった。

アドリア海の東岸には高い山脈が走っている。その山脈はセーニ辺りで途切れ、細長い谷間を荒々しい風が吹き抜ける。セーニは風の町である。

かつてオスマン帝国の支配を避け、ボスニアなどを逃れた人々が、ようやく海に出たとき目にした景色がセーニの町であり、青い海の対岸に浮かぶクルク島だった。セーニの町が右手、左手の小高い丘の上に小さく見えるのがネハイの要塞である。なお、セーニがウスコクの街となったのは一五三七年以降で、それまでウスコクはクリス要塞を拠点としていた。それについてはのちほど詳しく述べる。

本章では、元来難民ぐらいの意味だったウスコクということばが、主にセーニの海賊たちを指すようになった経緯を、類似したほかの所領との違いや、セーニという町の特色と関連付けながらみていく。そしてウスコクの「盗み」と「聖戦」について、当時の状況の中に位置づけて考えてみたい。

現在のセーニは、人口七千人あまり。ここにスラヴ人がやって来たのは七世紀のこと。そのセーニは、まずは教区の中心地として、そして次に対オスマン帝国の拠点として重要になった。一二七一年には大貴族フランコパン家の所有になる。そして一四六九年、セーニでオスマン帝国とヴェネツィア共和国の侵入から守るために軍司令官が任命されることになった。

このセーニ市は、たとえば要塞都市のカルロヴァッツのように、単なる軍事施設ではない。駐留部隊もそれなりに歴史があったが、教会そして市民社会がもっと長い伝統を保っていた。セーニは、軍政国境司令部の権限の下で隊長区の本部であったと同時に、クロアティア・ハンガリー国王に認められた国王自由都市だった。

一六世紀のウスコクは、移民であり隊長区のメンバーであって、本来、セーニ市民社会の一部ではなかった。ところが、そのウスコクが同市の政治、社会に密接に統合されていくのである。

そもそもセーニの市民社会は、クロアティアの大貴族フランコパンが領主だった一三八八年の条例以降、独自の伝統に従って編成されていた。マーチャーシュ一世（ハンガリー王一四四三？一一四九〇年）がセーニを隊長区の中心に定めた一四六九年、同時にセーニを国王自由都市と宣言した。その後セーニでは、軍政だけでなく、民政上の権限を負った隊長の手中に、次第に行政権が与えられていく。それでもセーニの社会、政治組織は、まだ概ね一三八八年条例の規定に従っていた。

一三八八年条例は、行政や法律上の規則を確立することに加え、住民の特権や義務を詳しく定めている。そこからセーニの社会構造が浮かび上がってくる。この文書によれば、社会は、いくつかの線で区分けされていた。同時代の、他の都市の条例と同様に、セーニの住民は、二つのカテゴリー、つまり地元住民と外国人とに分けられていた。地元住民はさらに貴族と非貴族に分けられた。そして市内に住んだすべての非貴族が市民とされ、市の地域に住んでいたすべての人が臣民とされた。

条例は、貴族や非貴族の権利と義務について詳しく説明している。一方、外国人の権利と義務についてはごく手短に、商業的な関係にしか触れていない。この条例は一六四〇年に修正され、その間に重要になっていた第三のカテゴリーに触れている。それが今度は「住民」（ラテン語で）と呼ばれ、町に永住のための住み家を持っており、とくに特権はないものの、セーニ隊長との関係が定められた条項に貴族、市民とともに現れる人々である。「住民」はセーニ社会の序列の外にあり、何かの称号を得たとしても貴族の特権を得られず、どこかよそで平民として生まれたとしても、市民の義務は負わなかった。そしてウスコクも、町に住んでいても、法律上セーニの市民社会の外の存在であり、もっぱら軍当局に従う存在だった。

ただ理論上は、貴族評議会の宣言によって貴族やセーニの市民になればセーニの市民社会のフルメンバーになることができた。（ウスコクの時代の実際については68ページを参照）。

セーニの民政と軍政の間にあった、ある種の緊張関係によって、セーニの市民とウスコクら兵士との区別が続いていく。またセーニに隊長区の本部が置かれて以来、隊長や市内の軍政（国境の）権力に対する市民の抵抗感もあった。

軍政権力の拡大に抗してセーニという都市の自律性を守るため、軍政と民政の義務や権利がはっきりと区別された。いくつかの例をみると、セーニの市民は自分たちと軍人の区別、中でも経済的な権利に関する区別を守ろうとした節がある。例えば一五二八年、かれらはオーストリア大公フェルディナント一世から、セーニの市民がオスマンの捕虜や何らかの戦利品を、駐留部隊の助けなしで勝ち取った場合、その戦利品を軍に干渉されることなく分割できるという言質を取りつけた。

そもそもセーニは材木など商品の中継港として栄えたのだが、オスマンの侵攻によってバルカン内陸への道がふさがれて経済が弱体化した。その意味でセーニの町は軍政当局と反オスマンで一致していたのだが、一五二〇年代には市民は軍と自分たちを区別していたことが分る。

しかし一六世紀後半には、一旦、市民と軍が一致してウスコクの海賊行為を支持することになる。それが一六世紀末にヴェネツィアによる海上封鎖が激しくなると、再び、市民の一部も軍もウスコクと距離を取り出す。

のちの一七一九年から一七二二年にも、セーニの市民層と隊長区の兵士たち（このとき両者は一部重なっていた）が共に軍政当局に反旗を翻した。近隣の港町リイェカがハプスブルク王家の手で開発が進む中、セーニは軍事的役割を理由に経済振興が進まなかったからだ。またオスマン軍勢が南下してその脅威が遠のいたにもかかわらず、兵士たちは軍隊の近代化とくに税や軍備の負担増加を命じられたからである。

一三八八年に戻ると、セーニの市民と貴族は、他にも、条例が定めた経済的特権を守ろうとした。その特権とは、主に関税の軽減ないし制限のことで、条例によって定められ、ハプスブルク王家によって何度も追認された権利である。条例は、外国人がこうした特権から排除されないようにする保障にもなった。この権利は、一五七七年のセーニ関税リストで再確認される。このリストは、セーニの市民に与えられるべき免税や減税特権について詳しく書かれ、またその他のとくに特権を与えられたグループ（たとえばアドリア海対岸のアンコーナの商人）にも触れている。一方、駐留部隊の人々や外来のウスコクの特権については触れていないが、おそらく、そのような特権は、一六世紀末の海賊ウスコクの時代になれば、地元市民と新参者を区別する、象徴的な意味しかなかったと考えられる。

一方、町の具体的な外形は、セーニにおける民政と軍政の対立イメージを強めることになる。市内の城砦は、当初セーニの支配者のために警備が強化された館だったものが、一四六九年以後セーニ隊長区の本部になった。城砦は、市の北東部にあり、一般の住宅街と壁で区切られていた（図6参照）。一五五〇年に、敵が（市壁の外の）丘を利用するのを防ぐために、時の隊長レンコヴィチが要塞を建設しようと提案した。この要塞がネハイであり、一五五八年までに完成され、地の利と防衛力とその貯水量、さらには物資貯蔵量の多さによって軍政国境最大の拠点の一つになった。

ここではドイツ人守備隊が市から離れて駐留していたが、多分計画的にそうされたようである。というのもドイツ人守備隊を率いた、歴代のセーニ隊長は、市の問題に関わって市内の利害関係に振り回されることを恐れていたからである。

一五八二年に行われた、隊長とウスコクの関係に関する調査を見ても、多くのドイツ人部隊は、町からわずか一〇分離れていただけで、町から完全に独立して、要塞内で自分たちの配属を自由に決めることができた。

しかし、セーニの市を空間上民政と軍政に二分しても、一六世紀の末には、町の人々とウスコクの相互関係には最小限の影響しかなかったのである。


略図1「ハプスブルク帝国軍政国境」組織図

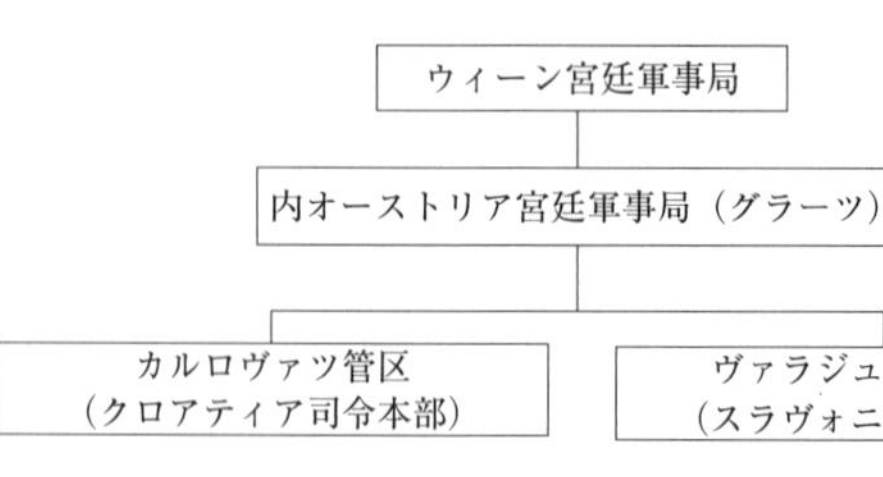

七隊長区
セーニ、オグリン、スルーニ、
クリジャニチ・トゥラニ、
バリロヴィチ、トウニ、オトチャツ

五隊長区
イヴァニチ、クリジェヴツィ、
コプリヴニツァ、ペトリニャ、
ジュルジェヴァツ

第二節　ウスコクの組織

ここでオーストリアの軍事的中枢からセーニの軍隊組織までのネットワークを概観しておこう。

帝都ウィーンと内オーストリアのグラーツの宮廷軍事局は、例えばウスコクにたいする対策上で、ウィーンは外交上の配慮から取り締まりを強化しようとするが、グラーツの方は取り締まりを怠るなど、政策や立場が食い違うことがあった。

上記の二つの管区の財政は内オーストリアの貴族が負担した。それは自分たちの所領を守るためでもあったが、自分たち貴族の子弟を管区の要職につけるなどの利権でもあった。

カルロヴァッ管区は食料補給の上でヴァラジュディン管区に依存していた。カルロヴァッ管区では、城塞に駐留する部隊への食糧補給が大きな問題だった。城塞の周囲では収穫が乏しく、余剰生産がまったくないため、周辺からの食糧で守備隊を養うことはできなかった。そこで食糧についてはクロアティア内陸からスラヴォニアにかけてのヴァラジュディン管区が頼りだった。しかし兵士の数が急に増加して需要が急増する中、ワインや食糧の価格が急上昇した。ヴァラジュディンの地域では一五四三年から一五九五年にかけてワインの価格が二倍半から三倍になり、同時期小麦の価格は二・四倍になったという。

略図２

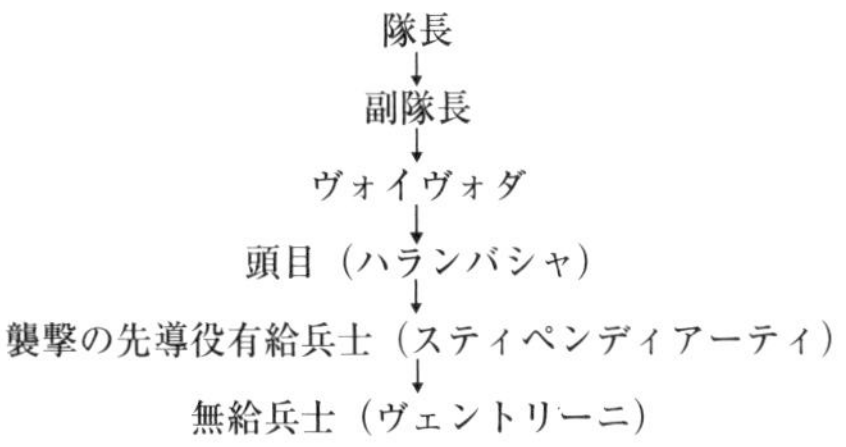

隊長
↓
副隊長
↓
ヴォイヴォダ
↓
頭目（ハランバシャ）
↓
襲撃の先導役有給兵士（スティペンディアーティ）
↓
無給兵士（ヴェントリーニ）

＊ウスコク部隊の上下関係については史料の記述は少ない。むしろ平等な関係性や民主主義を強調する指摘が多い。

隊長（副隊長）

隊長はハプスブルクの人間であり、ウスコクにとって最も上級の指揮官だった。隊長は、一五七八年の軍政国境の再編以降、内オーストリアの貴族が推薦する候補からグラーツの宮廷軍事局が選んで派遣した。その任務は、有給兵士の統率と要塞への配備、襲撃作戦の実行だが、ウスコクの規律遵守にも責任を負った。

隊長は中央の軍政当局から派遣されてはいるが、まったくの操り人形というわけでもなかった。ただ、かれらは貴族でもあり、自らの所領を視察するためセーニを長く留守にすることもあった。

ヴォイヴォダ

ウスコクをまとめた指揮官はヴォイヴォダと呼ばれる。ヴォイヴォダとは軍事的リーダーを指すスラヴ語で、ウスコクに限定される用語ではない。セーニでは、軍政国境当局の代表者とりわけセーニ隊長とウスコクの仲介役を指す。最初のヴォイヴォダは一五四〇年の給与表に登場し、比較的高額な給与一八フロリン（オーストリアの貨幣で、一フロリンは六〇クロイツァー）を与えられており、一応社会的認知度の高さが分かる。この初代ヴォイヴォダがヴェネツィアによって絞首刑にされたときも、ヴェネツィアはかれを「ウスコクの頭目すべての指導者」と呼んで敬意を示している。

一五九〇年代まで、ヴォイヴォダはウスコクなど兵卒から選出され、軍政国境当局がこれを承認する形をとっていた。一六世紀の最も有名なヴォイヴォダ、ユーライ・ダニチッチは一五四〇年代オスマンに占領された故郷を離れセーニに来た。そこでかれは、ウスコクのだれもが認める指導者となり、仲間の指導者たちがかれを皇帝フェルディナント一世に推挙し、ウスコクの実質的な指導者に選んだ。一五六〇年代ダニチッチはウスコクの襲撃を指導していたが、いわゆる「ラグーザの裏切り」（ウスコクとラグーザ共和国が反目するきっかけになった事件）で殺害される。するとかれの息子が後継者に選ばれる。ユーライと同様息子も戦いぶりが傑出して優

図4　1590年にヴェネツィアで描かれたウスコクの頭領（隊長かどうかは不詳）

れ、その「男気」がウスコクの信頼を集め、父の地位を受け継いだのである。因みにヴォイヴォダという地位は、モンテネグロ地方や一七・八世紀のダルマティアでは世襲だったが、セーニではそうではなかった。ユーライの息子は自ら、父親以上の戦士ぶりを広く見せつけたようで、一五九一年、ヴェネツィアのスパイも「年の頃は五五歳、容姿はひどく醜く、片方の耳がそがれていたが、多くの人々から慕われていた」と報告している。

ヴォイ＝軍、ヴォダ＝指導者ということばが示すように、ヴォイヴォダは海賊行為だけでなく軍事活動も指揮し、ダニチッチ（息子の方）も一五八二年にクリス要塞の攻撃を指揮している。こちらのダニチッチはヴェネツィアの将校と〝略奪品の返還について〟オスマンの将校と〝身代金のレートについて〟オスマン帝国のキリスト教徒と〝貢納金について〟それぞれ交渉をまとめている。また酒を飲んだ番兵をこらしめるなど兵の規律維持にも努めている。

そのヴォイヴォダの権限も絶対でなく、公けの問題はなるべく全員で決めようとした形跡がある。ただそのかたちは不定形である。仮にウスコクの間に民主主義的な要素が多く見られたとしても、ヴォイヴォダに一定の裁量権があったことは確かだ。ヴォイヴォダは、民事については町の判事や評議員らと協議しただろう。ウスコクにとって最も大切な襲撃のことであり、戦利品の配分を決めたのはかれらだからだ。この点に関して、ある捕虜になったウスコクの証言が残っている。「末端のウスコクは、前もってどこを襲うかは知らされなかった」、と。指揮官と先導役が秘密にしていたのである。また、別の証言では、戦利品のありかは極秘で、指揮官が場所を変えることもあったようで、「そういうときも、われわれには内緒だった」。ただ、ヴォイヴォダにこのような権限が与えられたとしても、ウスコクがこぞって離反すれば事態は行き詰まったし、少なくともかれらを選ぶのは（少なくとも一五九〇年代まで）ウスコクたちだった。選ばれるには、家系や財力（船を準備するための）も大事だったが、それ以上に軍事的な技量や勇敢さが重要だったようだ。こちらの二つがあれば、ヴォイヴォダになれた。

ウスコクの略奪が軍政国境の利益にかなっている限り、ヴォイヴォダの権限は問われなかった。しかし一六世紀半ばから、ハプスブルク皇帝、ウィーンの宮廷軍事局（一五五六年に神聖ローマ皇帝フェルディナント一世がウィーンに設けた対オスマン防衛機構を掌握する中央官庁）などは、外交上の理由とくにオスマン帝国への配慮により、ウスコクの襲撃行為を抑制するよう求めた。ヴォイヴォダの側は、一五八〇年代までは、ウスコクにたいする統率力が強かったため、中央権力の要求を無視できたが、一五九一年ユーライ・ダニチッチが行方不明になると、ヴォイヴォダのポストは「より適格な人材」で埋められるようになり、それからはセーニの隊長や軍政国境当局が、ヴォイヴォダの人選に口を出すようになった。当時セーニ隊長区には四人のヴォイヴォダがいたが、襲撃に手腕を発揮し、ウスコクたちから信頼されるだけでなく、グラーツ宮廷軍事局への忠誠が求められるようになり、任期も短くなった。ヴォイヴォダは、ウスコクの要望と軍政国境当局の要請との板挟みになり、上層部に抗（あらが）えば隊長による制裁や軍法会議という憂き目にあうようになった。しかしウスコクによる略奪は増えていく。イヴァン・ヴラトコヴィチは、この時期のヴォイヴォダとして、栄光と挫折を味わったのである。挫折とは、すでに述べたような死刑だった。こうして一六一八年の終焉までにウスコクの組織は混乱し、ヴォイヴォダの職に就こうとするものはいなくなるのである。

頭目（ハランバシャ）

一五九七年頃、それまでヴェネツィアに捕らえられていて名前が知られていなかった男が一躍有名になる。濃いヒゲをたくわえ、黒い髪を頭の上で丸めた美しい男は、年の頃なら三六ぐらい。自ら「ゾルジ・ヴァチスィチ」と名乗った。プリモリェ（ダルマティア以北の海岸地域）の出身ながら、オスマン領で農夫をしていたが、三年前からウスコク働きをしているという。男は、他国の船を襲う一団一〇～一五人のリーダーで、「ハランバシャ」と呼ばれていた。一五九〇年代の記録によると、こうした頭目は二五～三〇人いた。

頭目たちは、時に船の持ち主でもあった。セーニ辺りの軍政国境では、指揮官は内オーストリアの軍人やセーニの貴族から登用されたが、頭目についてはセーニの貴族はいなかった。またセーニの外から来た難民のリーダーが軍政国境の指揮官になることもあったが、頭目たちも、その多くがヴァチスィチのように農夫など、低い身分の出身だったようだ。頭目になるための条件は、身分というより、「海戦のために船を武装する能力」つまり財力だった。頭目は時に船主とも呼ばれ、その資金がない場合、岸辺のどこかで調達する必要があった。ウスコクのリーダーになるには、セーニに来てからの年数も関係なく、二～三年でも頭目になる者が何人もいた。また必ずしも有給兵士でなければならない訳でもなく、一五九九年の資料によると、三二人の頭目のうち一八人が有給兵士で、一四人は無給兵士だった。

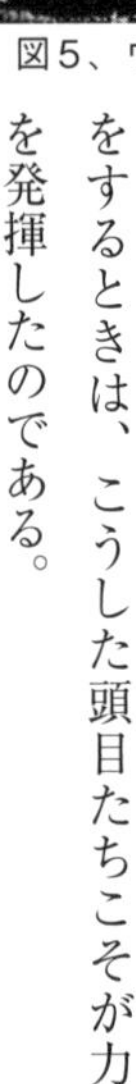

図5、ウスコクのスケッチ

頭目になるには船を買う財力の他に、軍事的能力や気持ちの強さ、現場の知識が必要だったが、何といっても部下を従えるには戦場でのテクニックや（略奪）計画の実行力が必要だった。そしてウスコクが遠征をするときは、こうした頭目たちこそが力を発揮したのである。

ヴェネツィアの資料によると、頭目の地位が安定するには、ウスコクの兵卒の間で人気がなければだめで、軍政国境当局の信頼よりも、末端での信用の方が重要だった。かのユリシャ・ハイドゥクも、軍政国境当局にたいして不服従の姿勢を続けた。かれの人気を考えると、当局がかれをやめさせることは困難だったのであり、かれ自身も、軍の命に背いてイストリア半島を略奪して回った際も、その範囲を村にしぼり、村だけなら町の人々が自分たちへの支持を続けてくれることを分かっていたのである。

反対に軍政国境の当局が任命した頭目が現地のセーニで受け入れられないこともあった。一六〇〇年のラバッタ（ウスコク統制のためハプスブルク特使としてウィーンが派遣した弁務官）の改革の際、ラバッタは新しい頭目を任命しようとしたが、ウスコクたちはこの頭目の軍事的な技量に疑いを持った。ラバッタ殺害の際の告訴状には「ヴェテランの指導者に代えて、国境など知る由もない商店主や職人を指導的な地位につけようとした」と非難している。

兵士たち

当時の軍政国境の徴兵名簿には、セーニの兵士たち、つまりウスコクらの名が記載されている。ただし、それは有給兵士（スティペンディアーティ）に限っての話である。ウスコクには、給与が支払われない、無給兵士（ヴェントリーニ）もいた。

ひとまず有給兵士について説明すると、かれらは部隊内での働きぶりに応じた給与を支払われた。ヴォイヴォダが好評価をすれば兵士の地位が上がっていくのだが、評価の基準は「男気」と「経験」そして「忠実さ」であった。昇進の結果、物資（衣服や穀物）の支給で優遇されたり、年金を得ることもあった。またもし人質をつかまえれば公けに身代金を得る可能性もあった。

ヴォイヴォダや頭目に昇りつめればいくつか特権が認められ、給与のアップが見込まれるはずだった。しかし、実際のところ、かれらも給与は少なく、不定期で、その暮らしはやはり他国船への襲撃に依存していた。それでも、給与を約束されている以上指揮官の命令には従わねばならなかった。

さて、セーニの兵士には無給兵士がいた。無給兵士はヴェントリーニと呼ばれた。ヴェントリーニという呼び名はヴェネツィアのヴェントリエール（運に頼る者）ということばから来ており、その名が軍政国境でも使われ、補助部隊の無給ウスコクの呼び名になったのである。その中にはセーニで生まれ、本部隊の給与はもらっておらず、ウスコクの略奪にだけ参加する者もいれば、よそから来てセーニ近郊に住みつき、ウスコクの略奪に参加して、分け前をもらう者もいた。

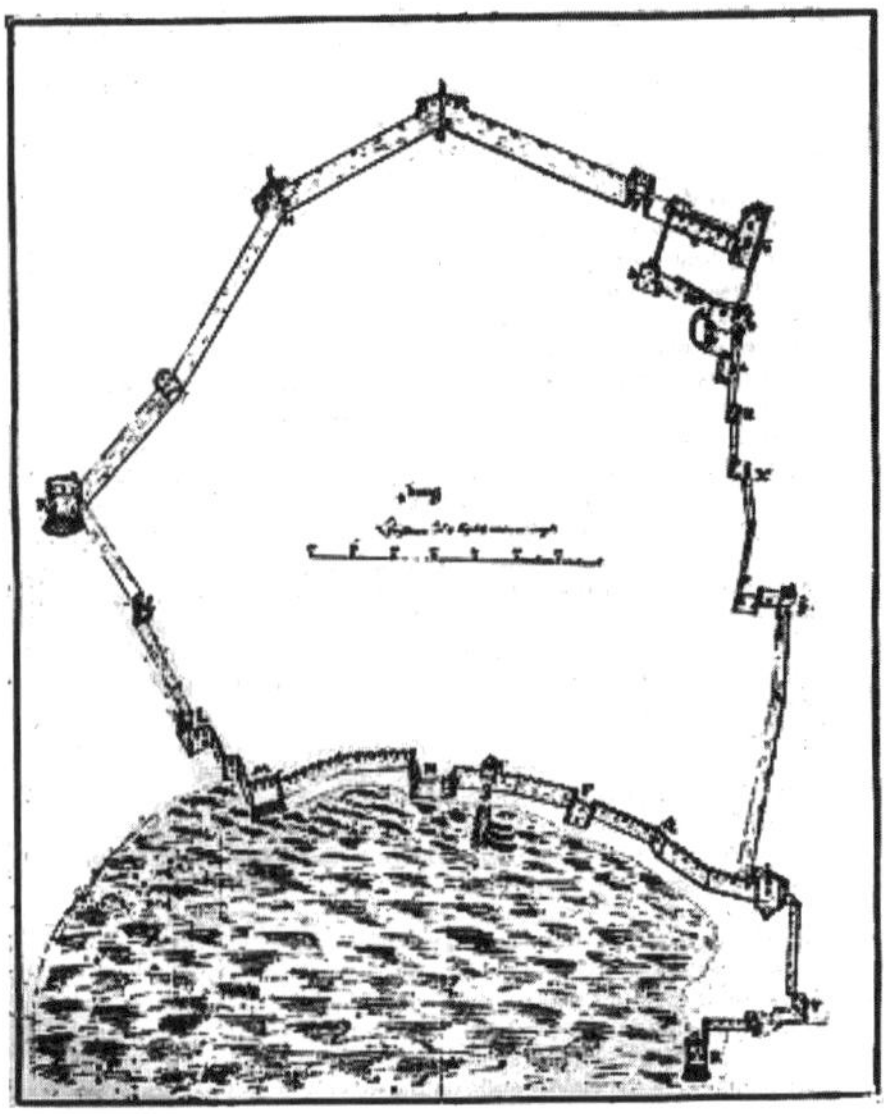

図6　1619年のセーニ。この時点でも市内北東の隅に司令用の城砦があった。

数の上では有給のウスコクよりもこのヴェントリーニ、つまり無給のウスコクの方が多くなるのだが、その数は一五八〇年代に移民全体の急増とともに増え、そのため、ウスコクの行動や全体の統率の上で、有給兵士以上に重大な影響力を持つ存在になった。

無給のウスコクは略奪の分け前だけで生きていた。またセーニに来たばかりの者がほとんどだったで、早く手柄を立てたいと考えていた。そのため、少しでも多くの襲撃をしたがった。

第三節　セーニの住人として

ウスコクたち自身は、無給兵士にせよ、有給兵士にせよ、町の人々と狭い通りで軒を接して暮らしていた。貧しいウスコクは市民から家を借り、裕福なウスコクは町の中央に建物を取得した。移民と市民は、死んだら隣りの墓で眠るつもりで、生前は教会で一緒に祈った。教会と修道院にかれらの資産を寄付し、死後の安寧のため町全体に祈りをささげた。

当時の様子が、偶然、記録文書から垣間見えることがある。かれらのさりげない会話、居酒屋への訪問、かれらが一緒に出席したパーティー、かれらの結婚等々。ただ、おそらくもっと大事なのは、彼らの経済生活がしっかりと絡み合っていたこと。セーニの町は、オスマン侵略からの防御という点では強力な駐留部隊を歓迎した。またウスコクの襲撃活動は、弱体化したセーニ経済を立て直す道を開いたのである。

ウスコクとセーニの地元民は、ウスコクの襲撃と略奪がセーニの経済にとって必要だという認識で一致していた。そしてこの活動を通じて、町と駐留部隊の間の垣根は、ほとんど消えた。間もなく、セーニで生きている人々全てがウスコク遠征についての関心を共有し、何らかのかたちでウスコクの経済活動に携わるようになった。

セーニの住民にとって、一六世紀と、一七世紀のはじめまで、ウスコク以上の、あるいはウスコクと異なった利益があるようには見えなかった。

一六〇六年にハプスブルク帝国とオスマン帝国の長期戦争（一五九三～一六〇六）が終わり、ヴェネツィアによる海上封鎖と軍政国境当局の圧力がいよいよ強まると、ウスコクのあり方をどう改めるか、セーニの町では意見が二分した。

意見は町と駐留部隊の間では割れないで、別の形で割れた。一部の町の住民やウスコクのリーダーと兵卒（セーニに来たばかりの者とすでに馴染んでいる者の両方を含む）は、セーニへの報復を引き起こす恐れがあるとして盗賊行為を戒めたが、他の住民やウスコクは襲撃の続行を望んだ。

利害の共通性は、政治的な共同歩調になって表れた。セーニでウスコクが、ウスコクとして政治に参加できるという規定が条例にはなかったにもかかわらず、ウスコクのより上級の指導部は、セーニ市全般の利害に関わる決定に、実際に参加した。

ウスコクの市政参加については、セーニ当局によって交付された文書に記録が残されている。セーニの裁判官、当局とウスコク指導部が、「すべての兵士とこの町の住民」の名においてセーニ市として共同声明を出し、特使も送った。

どちらか一方に対する脅威に直面して、ウスコクとセーニ市民が、相互に団結した具体例が以下のケースである。

ウスコクは、一六〇一年に例のハプスブルク特使ラバッタが急激な改革を導入したあと、「セーニのすべての騎士と誠実な兵士」の名で自分たちの不満を書き連ねた書状を大公に送ったが、自分たちが感じた不正を訴えるだけではなくて、特権が無視された市民たちのために嘆願している。「立派に、兵士に食物や飲み物などあらゆる援助をした」いろいろな職人と商人のために、またかれらの要求通りにガレー船に送られた（聖ニコラ修道院の）小修道院長のために嘆願したのである。

また自治都市セーニと駐留部隊は、ウスコクによるラバッタ殺害について一緒になって弁明を試みた。

一六〇九年から一二年までは、ヴラトコヴィチ兄弟の裁判に際して、ウスコクの悪行にたいする軍政国境からの告発に共同で対処した。軍政国境の司令部の命令に背いて襲撃したという告発を受けたウスコクがセーニの判事、貴族、市民や聖堂参事会からの多数の手紙や嘆願書で擁護された。そしてその中でイヴァンとミホの兄弟について、「常にこの都市のために尽くしています」と記されたのである。

一六世紀のセーニは、小さな都市だった。おそらくその人口は四五〇〇を超えることはなかったはずである。

この社会に集団間の区別があり、その最も明らかなものは正式な市民と「最近の」移民の間の、そして、民間人と軍政国境関係者の区分だった。これらの区別は時間とともに弱くなる。もちろん完全にはなくならなかった。それでも、海賊ウスコクの時代、セーニの町人とウスコクの関係を阻害する要因は内政上はなかった。ウスコクと町の住民のコミュニティ、略奪の必要とそれを処分する経済ネットワークの必要が、密接に彼らを結びつけたのである。

第四節　ウスコクの仕事

セーニ隊長区は地域的にはカペラ山脈（セーニの北、地図1参照）とアドリア海に挟まれた全地域の安全について責任を負った。全地域の安全といっても、オスマン帝国との境界地域を中心に、当時は「小さな戦争」が展開されていた。「小さな戦争」とは、境界における戦争のことで、敵を荒廃させ完全に破壊するような古典的な軍事行動ではなく、略奪経済つまり人と品物の恒常的で複雑な交換である。とくに食糧や家畜の奪い合いは境界では頻繁にあったのである。

セーニ隊長区でも、都市や城塞の中の土地で兵士たちは農業をしていたが、セーニの人びとはこ「小さな戦争」からの収入が最も多かった。

先ほど一七一九年から一七二二年のセーニの反乱について述べたが、一八世紀初頭のセーニ隊長区は人口増や土地不足による経済的混乱が始まっていた。ウスコクの最盛期から一〇〇年ほどたった頃、一六九七年から一七四六年にかけての四九年間で人口はほぼ二倍になった。地元民の数の増加もあれば、入植者の増加もあった。

土地不足解消と収入増の一挙両得を狙って、軍政国境の兵士兼農民たちはセーニで森林を伐採し始める。しかし兵士兼農民たちが木材の代金として現金を受け取ることはほとんどなく、もっとも必要とされた現物、すなわち穀物で支払われた。必要な穀物が前払いされることもしばしばあった。こうして兵士兼農民たちは、セーニの木材仲買人に依存するようになった。

ブドウ栽培がもう一つの生産物、生活手段として想起されるが、セーニ隊長区の場合、自然条件が整っていなかった。同隊長区では、ブドウ栽培に使われた土地の面積はおよそ五〇数ヘクタールにすぎなかった。肉牛の飼育も、土地が狭隘なため発展の余地はなかった。牧草地がほとんどなかったのである。こうして唯一、飼料負担の少ないヤギの飼育だけが残った。ヤギの飼育は、沿岸地域の家庭経済において、木材販売に次ぐ第二の柱になった。しかし、ヤギはただ森に放たれるだけで、その森で若木の葉を食べてしまった。多くの家族が二〇〇匹から三〇〇匹のヤギを保有していたため、ひきおこされた森林の被害は深刻であり、のちにヤギの飼育は禁止された。

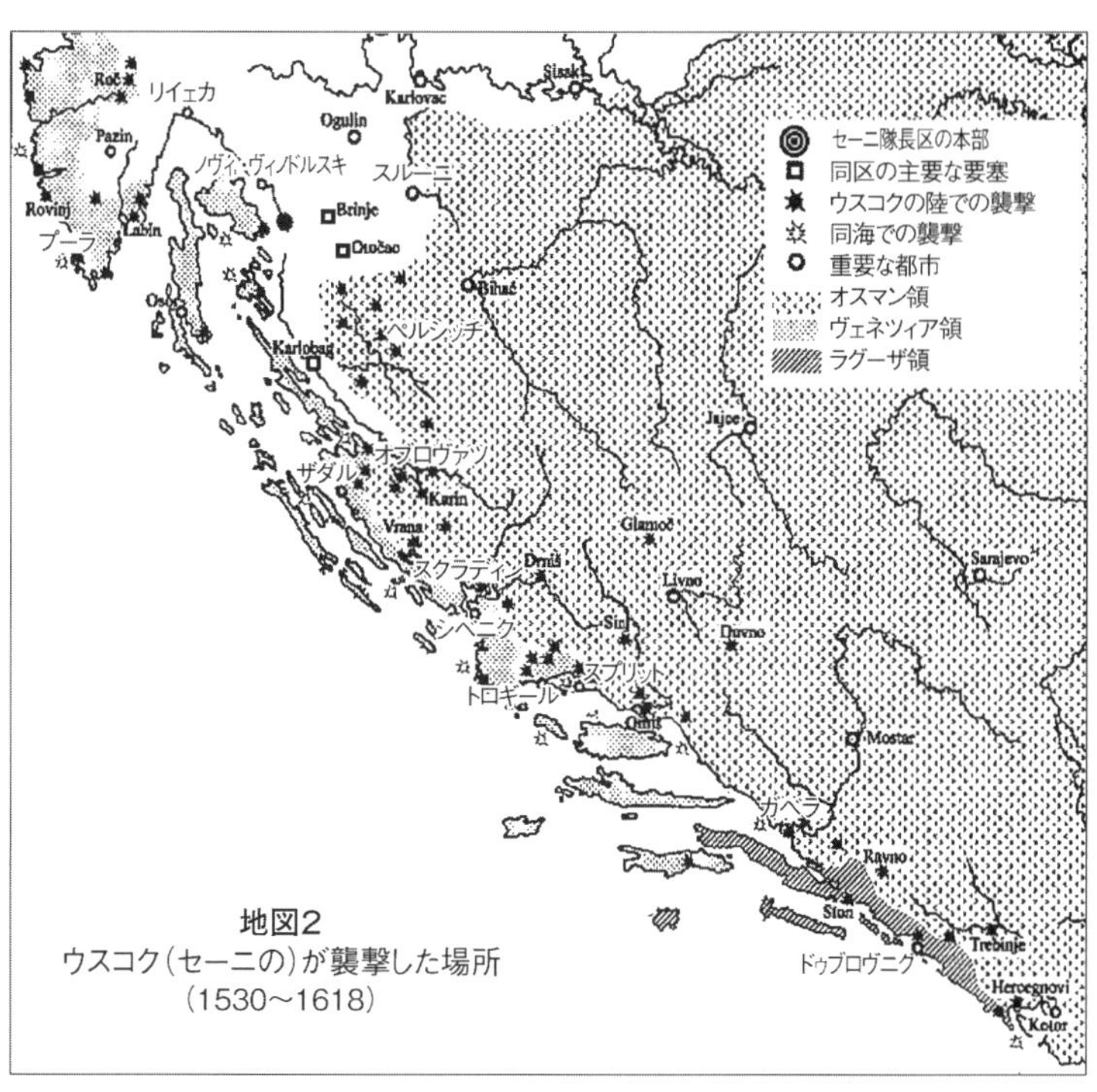

地図2
ウスコク（セーニの）が襲撃した場所
（1530～1618）

襲撃の場所と方法

一六世紀末にかけて、セーニのウスコクが襲撃を行なった場所は主に三つ（上図を参照のこと）。一、オスマン帝国領のリカ地方（地図ではペルシッチ周辺）でヴェレビト山脈（セーニからスクラディンにかけて続く）の東側。二、そこから南、ヘルツェゴヴィナの後背地で、とくにドゥブロヴニク領と接する地域。三、そしてアドリア海の海域である。

セーニのウスコクが初めて史料に現れた一五二〇年代から、これらすべての地域が襲撃の場になったが、よく襲う場所は一六世紀を通じて変わっていった。またそれに応じてウスコクの襲撃の性格も目標も変わった。

リカ地方は、セーニから最も近く容易にたどり着ける場所で、初期のウスコクが何度も襲撃を行なった場所である。しかしオスマンの軍勢とウスコクの双方が荒らし回ったため、すっかり荒廃して、この地方から戦利品はあまり得られなくなった。その後一五八〇年代になってリカ地方はオスマン帝国の施策によって人々が定住し、その要塞もつくられる。するとリカを襲撃することが危険である、という認識がウスコクの間に広がった。ウスコクはリカまで部隊を遣るが、時折家畜を奪ったとはいえ、むしろ街に火を放ったり、オスマンの要塞を破壊するなど、より軍事的攻撃の様相が強くなっていった。

次に、ウスコクがさらに遠くまで遠征することが頻繁になる。ヴェネツィア共和国領やドゥブロヴニクの海岸地方に沿って南下し、そこからさらにボスニアやヘルツェゴヴィナの内陸へ進んで行った。目的地まで今まで以上に海岸をつたって進攻する以上、海での略奪も増えるはずだったが、実際一五八八年には、ヴェネツィア海軍兵学校の文書が、それまでは「通常家畜を襲ったり、人を何人かとらえる程度、それも無力な年寄りか女ぐらい」だったのが、わずか二年あまりでウスコクは、海で数多く略奪をするようになり、「賊の数が増えただけでなく、盗みの質(たち)が悪くなった」ことを認めている。

海賊は、しばしば内陸を襲撃するために遠征する一方、主に港で目をつけた船を漁るようになった。ただかれらは、北アフリカやマルタのコルセアのように、船そのものを奪ったりはしない。そうではなくて、略奪品を自分たちの船に詰め替えるのである。商人のガレー船に対し、ウスコクの小型船は小回りが利いて早い。だからこそ錨をおろした船を急襲することも、陸地の村へ迅速に上陸することもできた。島々の間を素早く逃げ回ったり、不意に追跡された場合に船を海岸に乗り捨てることもできた。

おそらく戦利品の増加が、一六世紀の終わりに向かって風の噂となり、ウスコクになろうとする人びとの数を増やしたのだろう。しかし数が増えれば増えるほどウスコクの略奪も激しくなり、これに対して、一五九〇年代から一六〇〇年代にかけて、ヴェネツィアによる海上封鎖が強化され、襲撃地がヴェレビト海峡などに限られるようになる。

結果、かれらはリカ地方、その東に位置するクルバヴァ盆地やザダル郊外のオスマン領に活動範囲を限定せざるを得なくなる。そして、あるヴェネツィア人の報告によると、「以前は海で目を付けたオスマン船からの膨大な戦利品も今は手に入らず、獲物といえば家畜やたまに人質、それ以外はほとんど価値のないものばかり。ウスコクは一方で、しばしばオスマン騎兵との激しい衝突に巻き込まれ、囚われの身になるか、または自ら命を失った。何かを得るより失うことのほうが多く、そのため大いなる失望の中で生き続けるしかなかった」のであった。

この絶望感を一度ならず和らげたのが、ヴェネツィアの船からの戦利品だった。本来ウスコクを制圧するため特使として派遣された、かのヨゼフ・デ・ラバッタ伯爵でさえ、ウスコクが本来の活動場所から締め出され、獲物が見つかればどこでも、つまりはヴェネツィアの領土や海で略奪せざるを得なくなるという理由で、海上封鎖に抗議したほどである。

襲撃の船と時期

海上で船舶を襲う場合は、しばしば島影に隠れた波止場から出撃し、小型船（カヤック、チャマッツ、ラジャなどと呼ばれた。図1を参照）に乗り、アドリア海沿岸で活動した。

彼らはまた、フスタと呼ばれるオールを備えた軽い帆船も使った。

アドリア海での交易は、通常、強くて危険な風と霧の出る冬は避けられ、大半が夏に、ときには春と秋にも行われた。交易の頻度と時期は、アドリア海沿岸各都市の市や縁日がいつ開かれるかによって決まった。地元の貿易船隊は、慎重に指定された市の日に特定の都市を訪問した。

戦利品

①家畜

リカとオスマン後背地への襲撃によって得られる主な戦利品は、羊や山羊などの家畜である。それは軍政国境当局からの、あてにならない食料供給を補うために欠かせなかった。一五九八年セーニの隊長区の隊長パラダイザーは、ウスコクによる襲撃の季節ごとのパターンを次のように説明している。「冬には、雪と強烈な寒さの中、オスマンの牧夫たちは家畜を海辺に移動させ、そこで冬を越させる。そこでは安心でいられた」。だが、ウスコクは、通常「夏に、何かの事由、あるいは敵にたいする警戒心のせいで要塞から出られないものの、食料やその調達の機会がなくて耐え切れなくなると」、「どうしても必要でありながら買うことができない肉やその他に飛びつく」のだった。また、冬と春の二大祭礼であるクリスマスとイースターも、ウスコクが「オスマンの牧夫たち」、つまりウスコクになっていない牧畜民ヴラーフを襲う機会になった。

安全なはずの海岸で一般のヴラーフが羊や山羊を放牧している間は、その家畜を捕まえるのはたやすく、ウスコクは食料が不足する季節の祝い用に持ち帰った。海岸部各地でとらえた家畜はウスコクによって海路パグ島に集められ、そこからセーニなどに運ばれた。

ここでダルマティアの山々までの牧畜についてみておこう。ダルマティアの海岸に沿って高い山脈が走っている。本書の「はじめに」で触れた、ダルマティア・ザゴリェである。ある民俗学者は、「ダルマティア・ザゴリェの牧畜民は、」海と山とを季節ごとに移動し、「典型的な海民ではなく、山の民でもない。むしろ両方の特徴を兼ね備えている」と述べている。

そもそも山地での牧畜には、世界的に見て二種類ある。特定の牧草地の間を季節ごとに往復する移牧型と、ただ移動するだけの遊牧型である。バルカン半島には両方があった。まずバルカンの移牧では山の牧草地と平地の牧草地の間を往復した。この移牧型はそもそもアルプス型とも呼ばれ、アルプスやピレネー山脈に見られ、スカンジナヴィアや、アジアではパミール、ヒンズークシ、東部チベットといった山岳地帯でも見られた。一方の遊牧型は北アフリカのアトラス山脈、イベリア半島の山々、イタリアのアペニン山脈、またコーカサスや、アジアではヒマラヤや中国大陸の一部で見られた。そしてディナール山地、つまりダルマティア・ザゴリェで見られた。ただ、移牧型も、遊牧型も、それぞれに純粋な形があるわけではない。

中世に、ボスニア・ヘルツェゴヴィナの山地と海岸線への移牧のかたちがほぼできていたようだ。

一二世紀の時点で、ダルマティア・ザゴリェの牧畜民も、比較的低い山地を越えて内陸と海岸の間を移動していた。

ダルマティア・ザゴリェに近現代まで残る牧畜の姿はこうである。それには二つのタイプがある。Aタイプとは、家畜は「歯が大きい家畜」（牛、馬）と「歯が小さい家畜」（羊、山羊）を個々の家族、あるいは複数家族の共同で、村に近い牧草地で飼育、放牧するタイプ、Bタイプは遠い山の牧草地で、様々な協同のかたちで季節的な放牧を営むタイプである。もちろんA、B二つのタイプにしても、地域ごと、ときには集落ごとに差があるのだが、Aタイプの例として、一九世紀から二〇世紀にかけてのポリィツァ（内陸と海岸の中間）地方の事例を見てみよう。まずは日の出、牛を含めて家畜を牧草地へ追いやり、九時過ぎいったん家畜を連れ戻し、午後三時ころから日没まで再び牧草地に放す。羊や山羊は、牧夫の中でも年少者（多くは娘）が世話をする。馬や牛はそれより年長のものが追う。人手が足りない場合は、金銭や衣類、履物を報酬として人を雇う。牧草地を共有する場合もあって、家畜の数に応じて、週の何日かずつ割り当てた。

同じ地方にもう一つ別の放牧のかたちがあった。これがBタイプである。それは一年中または一定の季節のみ、小屋や仮小屋を置いて放牧する。いずれの場合も豚の飼育はほとんどおこなわず、羊や山羊の飼育が中心だった。羊は食料だけでなく着る物、履き物の材料も提供してくれた。

同じザゴリェのビオコヴァ山地（地図1 クリス以東の地域）では、山の標高によっておおまかに牧草地の利用法が区別されていた。つまり標高三二〇メートルから五五〇メートルでは家の近くで放牧し、六〇〇メートルから一〇〇〇～一二〇〇メートルでは牧草を食べさせるだけでなく、翌年にライ麦や小麦を育てる土地には羊の糞をまき肥料にした。時には夏中、山の牧草地にいることもあったようで、村から歩いて小一時間から二時間のところに小屋が置かれた。(その地下室には飲み水用の氷や雪が蓄えられた)。標高一一〇〇メートルから一五〇〇メートルでは人びとは二月末から十一月ぐらいまでの数ヶ月間山で家畜を追った。そこでは仮小屋が置かれた。

小屋では十五歳から二十五歳ぐらいの娘の羊飼たちと、それよりは幾分年長の牧童たちが暮らした。一方仮小屋では羊飼や牧童の数は小屋の半分ほどだった。

タイプAからタイプBの高山―仮小屋型に近づくにつれ、かつての遊牧の姿が浮かび上がってくる。

さて牧畜民にとってはチーズを作ることも重要な仕事であり、収入源だった。そもそも山で働く牧畜民たちは、第二次大戦のころまで地域ごとに頭領やかれを補佐する三人ほどの副頭領を選んだのだが、それぞれの副頭領は乳の出る羊、乳の出ない羊、そして子羊それぞれの群を担当していた。また頭領の妻とその助手がミルクやチーズ作りを指揮したのである。

このような牧畜民つまりヴラーフが最盛期のウスコクの中心にいた。一五九〇年代にはヴラーフの大規模な移住が、まずはスラヴォニア側で、少し遅れてクロアティア側で起きたといわれるが、すでに一五八八年にウスコクとヴラーフはダルマティア海岸で互いに協力する姿が確認されている(一六〇〇年代のはじめには有名なヴラーフの大集団クルンポテ一族がセーニ近郊に移住し、ウスコクの略奪に加わっている)。

そのため一六世紀末のウスコクには牧畜民の価値観や風習が見え隠れする。ウスコクたちは、差し迫った脅威がなかった場合、捕えた羊や山羊をすぐに屠殺し、肉は船でセーニに持ち帰った。ハプスブルクの治安当局に追及された場合、ウスコクは飼い主に家畜の賠償をした。セーニに持ち込まれた家畜は通常、ウスコクの間で分配され、すぐに消費された（一部のウスコクは、セーニの近くに上陸し、余った家畜は持ち帰る前に急いで肉を焼いて食べ尽くした）。肉の一部は、後の消費のために保存されることもあったが、大量の肉を塩付けにして保存しようとしても、大抵の場合塩は入手できなかった。アドリア海の塩は、当時ヴェネツィアが厳重に管理しており、アドリア海総監督は、肉の保存期間をどうにか伸ばそうとするセーニの人々の努力に反して、イストリア半島からの塩の輸入を慎重に制限した。こうしてウスコクたちは、肉の供給を確保するため何回も襲撃を繰り返さなければならなかった。

小規模とはいえ定期的に家畜が襲われることについて、オスマン当局は、アドリア海の安全保障に責任のあるヴェネツィアの指揮官に苦情を集中させた。その苦情とは、ありふれた文面で、ただ数頭の家畜または一人二人の捕虜の捕獲を嘆くものにすぎなかった。これらの手紙はウスコクの襲撃の様子についてはあまり描写はしない。しかし、それらの手紙の数が、中小の家畜窃盗事件の多さを物語っている。家畜のほとんどはオスマン領から奪ってきていた。とくにリカの盆地で家畜を漁ったが、それでも一六世紀の終わりになるとそれは困難になる。

困ったウスコクは、島々や沿岸のヴェネツィア市民から食料を徴発し始めた。その際かれらは、しばしば奪った家畜の代金を支払っている。それでもかれらが、空腹を満たすために暴力を使ったことは否定できない。ヴェネツィアは、ハプスブルク帝国との外交交渉に使うため、ウスコクの略奪行為の証拠を集めていたので、そうした文書からも私達はこうした小さな襲撃の詳細を知ることができる。数々の書類からすると、かれらの略奪行為の多さは目を見張るものがある。北ダルマティアでのウスコクの所業に関する書類によると、一六〇六年の、主に二月と四月の間に六二件の襲撃があり、それぞれ一頭から六〇頭の家畜、合計四九五頭の様々な家畜を奪った。

これらの事件の間に、さほど頻繁ではなかったものの、ワイン、パン、衣類、その他の必需品をウスコクはヴェネツィア領の村人たちに強要した。ただ強要して獲得した品々がすべて奪った品だった訳ではない。奪われたと訴える人々もいたが、村人の中にはウスコクが代金を支払ったと述べる者も多くいた。一方ウスコクと取引した住民が、ヴェネツィア当局から非難される場合も数多くあった。その場合支払いの証拠はこの報告から消されたようである。

ではなぜウスコクは、他の食料ではなく、家畜を多く盗んだのだろう？　その答えの一つは、当時の国境独特の経済にあった。国境の経済は、明らかに農業から牧畜にシフトしていた。オスマンの侵入とその後長期にわたる国境戦争の下では、どんなに肥沃な農地も放牧地に転化せざるを得なかった。あるヴェネツィアの地方行政官が言うように、ザダル地区を例に挙げても、オスマンの激しい攻撃を前にすれば、作物を生産するよりも家畜を育てる方がやり易いということになった。その他の場所では、放棄された土地を牧畜民が入手し、まずは家畜の群れを放した後にゆっくりと農地に転用していった。

こうして家畜が多くいたからというのが第一の答えである。

また家畜とりわけ羊や山羊は移動させやすく、戦況の変化にも対応できたからとか、一六世紀のウスコクの多くが牧畜民であり、かれらは、肉としてだけでなく羊や山羊の乳からチーズを作り、皮革から靴も作ったからだという答えもありうる。

②人質

ウスコクがオスマンの船を襲撃する上で、二番目に重要な標的が人間つまり捕虜だった。イスラム教徒だけでなくキリスト教徒もウスコクの捕虜になった。捕虜の取引（身代金または奴隷取引のため）は、家畜の襲撃と同様に、地中海国境地帯での長年の慣行だった。ダルマティアの港湾都市、たとえばドゥブロヴニクでは一四一八年に奴隷貿易が廃止されたが、一方で、侵入したオスマン兵士たちによって数千の捕虜がアナトリアの奴隷市場に連れ去られたし、とくに一五世紀末から奴隷貿易に新たな弾みが付いた。

その後の数世紀、捕虜の捕縛、身代金要求、および奴隷売買は境界のイスラム教徒とキリスト教徒の双方で当たり前のことになった。オスマンの臣民が捕虜になれば、ダルマティアやイタリアの家庭で仕えるか、西欧のガレー船の漕ぎ手になるか、あるいは内オーストリア貴族などの領地で働かされた。このうちガレー船の漕ぎ手になる者はごく少数で、漕ぎ手となった奴隷は、病気や衰弱で漕げなくなるまで、ずっと働かされ、それからようやく身代金なしに放出されたようだ。ガレー船の奴隷が自由になるには、身代金だけでなく、自分のかわりの漕ぎ手を一人以上見つけなくてはならなかったのだが、身代わりになってくれる人などいるはずもなく、多くの場合それは不可能だった。

捕虜を身代金と引き替えに釈放するシステムは、マルタ騎士団などのキリスト教側、バルバリア海賊つまりイスラム教徒側の双方に出来上がっていた。この両者はいずれも前述のようにコルセアである。マルタには、身代金の受け渡し業務をおこなう代理人がいたし、ときには捕虜本人が身代金を集めるために仲間の元にもどることさえ許されたという。ただそれよりも多かったのは、一人、あるいは二人のイスラム教徒の捕虜が代表としてバルバリア海賊のところにもどり、身代金を集めるケースだった、あとの者たちは取引がきちんとすむまで、マルタの牢獄に残された。

奴隷売買による利益は、ほかの戦利品からの利益とならんで、コルセア船の事務長が帳簿に記録した。航海が終わると、この事務長の帳簿をもとにして総利益が計算され、その航海に投資した関係者の分け前が算定された。

マルタ島では騎士団が第一の要求権を持っていた。まず騎士団長が利益の一割をとり、次は、この航海の遂行にあたった役人たち。そのつぎに船長が利益の一一パーセントを取得した。以上をのぞいた残りの三分の一が乗組員の取り分となり（乗組員の一定部分は騎士団員だったと思われる）。あとは船の建造、艤装、食料等に出資した人々の支払いにあてられた。

これらの人々のうち、最初に支払いがなされるのは航海費用に関する債券保持者だった。それぞれが投資した額にプラスして、（予め同意にもとづいた）一定率の金額を手にいれた。残りの収益金は出資者たち（主に事業家）に、その出資額に比例して支払われた。

このように、奴隷の捕獲や奴隷貿易は一大経済事業だった。とくにコルセア船の船長は、航海が成功すれば、個人として大きな利益を手にいれることができた。しかし、バルバリア海賊の船に拿捕されれば、当然のことながら敵側の船で過酷な肉体労働につかされる可能性がある。この可能性は他の乗組員にもあった。それでも島をあげた事業で一攫千金を夢見る人々がコルセア活動に関わったのである。

一七紀初め以降、セーニ・ウスコクの略奪が衰退に差し掛かる時期に、騎士団の下で再組織されたマルタ島のコルセア活動は逆に一七世紀全体を通じて発展と拡大を重ねていく。それが最盛期に達したのは、おそらく一六六〇年代だと思われる。この時点で三〇隻のコルセア船が活動しており、四、〇〇〇人の男たちを雇っている。これは、当時のマルタ島の成人男性人口の五分の一に当たる。

以上マルタ騎士団の一七世紀の捕虜・奴隷貿易を見てきたが、ウスコクの活動の最盛期が一六世紀から一七世紀にかけてなので、両者のピークの時期は一応ずれている。また両者は同じくイスラム教徒を捕獲したが、セーニでは、捕虜の労働力としての使い道はほとんどなかった。そもそもセーニは、慢性的な食料不足に陥っていたのだから、捕虜を食べさせるだけの余裕はなかった。他のダルマティア諸都市なら家男としてはたらかせることもあったかもしれないが、ウスコクにとって捕虜は、主に身代金、売却、またはほかの捕虜との交換の対象であり、奴隷にする可能性は少なかった。

身代金は、人質を資本に変える手段だった。取引は、多くの場合、捕虜を捉えると同時に成立した。取引相手はその捕虜の親戚であったり、身代金仲介人であったりした。身代金自体は、金銭の場合もあったが、食料や生活用品で支払われることの方が多かった。ただ取引で得た金銭も結局は食料調達に充てられたようで、むしろ現物との交換のほうがよかったかもしれない。

実際食料不足がとくに深刻な時ウスコクは、金銭の供与は受け付けず、穀物や肉といった「現実的な」商品を求めることもあった。また食料の供給はセーニの町全体にとって極めて重要だったため、交渉および身代金の受け渡しは、個々の捕獲者の気まぐれに任せるのでなく、むしろ行政の中枢が関与するような公共の問題になった。たとえば一五八八年にフリオ・モルザは、セーニ隊長区の隊長でありながら、身代金として穀物を大量に獲るべく、ウスコクによる海上の遠征を組織した。このときウスコクは、トルコ人の捕虜を何人か失うものの、セーニが待ち望んでいた穀物を獲得することに成功している。

人質をとって食料を要求する行為を、ヴェネツィア当局は忌避しようとした。「見返り」は、セーニか、またはどこかよそでにしろ、より慎重に身代金で集められるようになった。

また時には、ヴェネツィアの疑いをそらすため、セーニの女性に身代金を受け取らせた。一五九一年のヴェネツィアの史料によると、「女性であり、ヴェネツィアのどこかの土地と縁があるように思わせる名前を名乗らせて、関係するオスマン臣民から現金か物品で身代金を受け取った」。

一方、オスマン帝国の関係者は、人質を取るという行為そのものを止めさせようとしていた。取引がうまくいかなかったり、あるいはもっと魅力的な方法があれば、ウスコクは人質を第三者に譲渡することがあった。通常は、地元のダルマティア商人などの買い手が身代金を設定し、人質（の関係者）から身代金を集める。イスラム教徒の人質は、この時代も、通常ナポリやジェノヴァからのイタリア人商人に、奴隷として売られた。かれらは、教皇の海軍やトスカーナ大公の艦隊の漕ぎ手を探していた。イタリア人商人たちは、アドリア海の向こう岸の裕福な家の使用人にするため、女性や少女を買うこともあった。

しかし、このとき奴隷の買い手は多くなかった。西欧でのトルコ人奴隷の需要は一五世紀の末から衰える傾向にあった。ガレー船の漕ぎ手は通常、各国の受刑者を使った。実際、奴隷の取引価格は身代金よりはかなり安かったようだ。一六世紀を通じてクロアティア沿岸のガレー船の漕ぎ手の相場はせいぜい三五から六〇ドゥカトぐらいだった。

これとは対照的に、オスマン帝国の臣民の身代金は八〇から一五〇ドゥカト、裕福なイスラム教徒とくに要人であれば二〇〇ドゥカトを越えることも珍しくなかったようだ。ただ興味深いことに、セーニでは婦人たちがこの取引、とりわけ人質の身代金請求権を熱心に買い求めた。それは、オスマンの手中に捕らえられた夫や息子の身代金と相殺するためだ。そういえば一六〇二年にウスコク掃討の任を負ったJ・ラバッタに対してウスコクが呈した苦言の一つが、ラバッタが怠慢により、トルコ人の捕虜を逃がしたことだった。そのためオスマンに囚われた夫と交換するために、トルコ人捕虜を買い込んでいた女性たちの思惑は水泡に帰したのだった。

③ 貢納金の徴収

ウスコクは、場所によって、略奪をしない代わりに、相手から貢納金を取り立てるようになった。日本のいわゆる水軍が警固料を取り立てたのと等しい。オスマン領の村々は、一五七六年頃から、襲撃を見逃してもらう代わりに、ウスコクに（通常はオスマン帝国の税になぞらえてハラチと呼ばれる）貢納金を払うようになった。この貢納関係はウスコクの頭目と村々のあいだで国家の取り決めではない、非公式な取り決めとして始まったと言われるが、一五七九年ごろまでには、これを正式なものとするような様々な試みがなされた。

一五七九年トロギールの助祭は内オーストリア大公カールに対して、トロギールの後背地に位置したオスマン領の村々をクロアティア・ハンガリー王国の支配下に戻すよう進言している。そうなった場合、かれらは家ごとに毎年二フロリンを国王に払い、その代わりウスコクの襲撃から守ってもらうつもりだった。

ウスコクの貢納金については、一五八八年までに、次のような報告がされている。ウスコクは「ネレトヴァの河口からザダルの国境まで、また内陸へ二、三日旅をするくらい入り込んだあたりの家々から一軒につき一セクイン、オスマンのオブロヴァツの隊長からの分も含めて、少なく見積もって総計二〇〇〇セクイン」を集めていた。一五九九年までにはオスマン帝国領の約四〇〇〇世帯がウスコクに貢納金を支払っていたと推定される。

ハプスブルク当局は、貢納金を払った者たちがオスマンの傭兵やスパイまでかくまうことを恐れていたのだが、セーニの隊長は隊長で、ウスコクがオスマン臣民を襲うことができなければ生活の糧を十分得られないのではないかと案じたようだ。また、貢納金収入が「軍政国境の必要」に当てられるように、決して私的な目的に使わないように指揮官は命じられていたのだが、一応指揮官が私用することはなかったようだ。ただこの貢納金がどれだけウスコクに還元されたかは定かではない。一五七〇年代までは、将校たちの許可なくウスコクの襲撃部隊が〝勝手に〟取っていたのだが、将校らもその金を受け取っていた。貢納金が制度化されるにつれ、軍の指揮官たちはウスコクが集めた貢納金の管理を一層強化した。軍政当局はこの収入を軍政国境のために確保するよう務めたものの、それを直接ウスコクの手に渡すことはなかった。一六〇〇年代の初めまで貢納金は、セーニの隊長個人や軍政国境将軍たちの「役得」とみなされていたようである。

一六〇六年、オスマン側と講和を結んだハプスブルク帝国からオスマン領への襲撃を禁じられたウスコクは、オスマンの住民が貢納金を払ったのは自分たちの武力を恐れてのことであるから、この収益金は軍政国境の将校ではなく、セーニの部隊に支払うよう要求する。そしてハプスブルク皇帝ルドルフ二世は、貢納金を「略取していた」軍政国境の将軍を責め、貢納金に対するセーニ部隊の権利を認めて、こう述べている。「かれらの自由と特権を慮ることなく、罪を犯すことを恐れもしなかったのは、数人ではなく、とりわけ、あなたヴェース・キゼル将軍殿がそうでした。さらに、あなたはかれらの手から、トルコの数多い村々が納めた貢納金を奪い、その貢納金をえるためにかれらが払った犠牲をないがしろにした。そのためにかれらは命を危険に晒し、勇気と力、自らの流血という代償を払ってきたのである」。

ただグラーツの宮廷軍事局は、配下の将軍たちがかなりの収入を失うことになるので、この決定を喜んではいなかった。

ウスコクたちはと言えば、オスマンの村々から貢納金を徴収し続けたようで、ときには支払いが遅れた村を襲っていた。

第五節　海賊するしかなかった？

一五三七年のクリス要塞の陥落（第5章で詳述）で本格的にはじまったセーニ・ウスコクの活動は、一五九〇年代に最盛期を迎える。（因みに日本では秀吉が一五八八年に海賊停止令を発布している。ウスコクも一六一八年には活動がほぼ停止する）。ただ、セーニのウスコクは、庇護してくれる大貴族などがいるわけではなく、略奪するしか生きる道はなかったと言える。他方セーニ以外に、大貴族に保護されたウスコクもいた。

土地は与えられなかった

軍政国境への入植者ならば、放棄されていた土地を分け与えられ、家畜や作物にかかる税は免除され、殖民者の一部だけが常備軍の任につき、任についている間は賃金を受け取った。戦時になれば自分たちの土地で効率的に働くことができなかったので、略奪行為で暮らしを成り立たせることもあった。戦争が止み、襲撃が禁止されたとき、かれらは、それぞれの畑と家畜に立ち戻り、自活することができた。セーニの背後にあるいくつかの要塞（ブリニェ、オトチャツ、ブルログ、プロゾル）の周りに住み着いた非正規兵にしても、土壌や地形が農業と牧畜の両立を許容した。こうした人々は、最大規模の遠征の時だけ、セーニのウスコクと行動を共にした。

しかしセーニに定住したウスコクにそのような土地はない。セーニは、上ヴェレビト山脈の麓、不毛のカルストの海岸にあり、周囲に肥沃な土地がない。市壁の下にあった、いくつかのブドウ畑がセーニにもあったが、町の需要に足る十分なワインはおろか、数百のウスコク移民とその家族をサポートすることもできなかった。セーニの市民は、市の正面にあたる、ヴェネツィア領クルク島のいくつかのブドウ畑を管理していた。この畑は、しばしばブドウ栽培のために地元の人に貸し出されたのだが、当時このような土地は、軍政国境当局によって分配される公有地ではなく、個人によって買収された私有財産だった。中にはウスコクが所有する土地もあったが、土地自体が狭く、ブドウ畑やワインが頻繁にヴェネツィア側から没収されたため、そこからの収入も限りある、不確かなものでしかなかった。

給与の遅配・未払い

宮廷軍事局はセーニのウスコクに土地を分け与えることができなかったので、セーニの有給兵士たちは国境の他地域よりも少し多めに俸給を受け取れるはずだった。スティペンディアーティつまり軍役を登録されたウスコクは、動員された時だけでなく、年間を通じて給与を受け取ることになっていた。また軍政国境の当局は、ウスコクに割り当てられた予算の一部を守備隊全体の穀物を買うのに使うことになっていた。しかし、このシステムが実際に機能したためしはついぞなかった。一六〇一年セーニの改革を観察するために派遣されたダルマティア総督の秘書官ヴェットロ・バルバロは、セーニの管理体制の弱点を見出し、上層部にこう報告している。「ここは、良好な支給によってというより、むしろ評判と上辺だけで持っています。実際、兵士たちはほとんど俸給をもらっていません。いつも四〇ヶ月から五〇ヶ月の俸給が未払いで、そのせいでリイェカの倉庫からわずかの穀物しか届きません」。

セーニでは下級の兵士も軍政国境の将校もこの状態を不満に思っていたのだが、当時の場当たり的な財政運用が改善されることはなかった。セーニから軍政国境の上層への嘆願は絶えることなく、大公や皇帝に当てた、俸給や支給の遅滞とそれによる惨状を訴えた書簡が引きも切らなかった。そしてこうした動きは一六世紀を通じて続いた。かつて一五三〇年にクリス要塞の隊長は、給与をもらえない兵士たちが今にも要塞を離れようとしていると訴えたが、一五三六年には、セーニとオトチャツの有給兵士たちが、国王としてのフェルディナントにあてて「最後の給料を受け取ってから、もう何年も経っております」と書き送っている。一五七九年十一月には、隊長カスパル・ラーブがセーニ市内に穀物が一粒もないと嘆き、「延滞が続けば続くほど、危険な状態になる」と訴えている。三月には三ヶ月分の給料が出ると言われていたのに、実際一ヶ月分の給料しか出ないと分かるとウスコクたちは明らかに反抗的な動きを見せた。一六〇七年の報告では、ウスコクは「五〇ヶ月分の給与を待っており、もし物資の供給がなければオスマンの船を襲わないという約束も破らざるを得ない」と威嚇している。かれらの言うとおり、「兵士はかすみを食って生きているわけではない」のである。このときは小麦を船で送ることになったが、六ヶ月経ってもそれはセーニに到着しなかった。

セーニで給与の支払いが遅れた一つ大きな理由は、補助金集めの難しさにあった。一五二二年、内オーストリアの貴族たちは、軍政国境の維持のため定期的に寄付金を拠出することを約束し、一五七八年にはカルニオラ、カリンシア二州の貴族はクロアティア軍政国境の財政を担う責任を負った。しかしいずれの分担金も遅延が多く、一部しか支払われなかったり、全く支払われないこともあった。貴族たちはしばしば歳出を承認せず、承認しても支払いを延ばすこともあった。一六一〇年、カルニオラとカリンシアの貴族がセーニの兵士への支払いを引き受けたが、実際は翌年、かなり遅くなってからの支払いになった。

守備隊と隊長は、現物での給与支払いだと現物が投機の対象になるのでこれに反対し、代わりに現金を要求した。しかしその現金給与でさえ、投機の対象になった。というのも駐屯地に充てた金銭が主計官の都合の良いレートで交換され、それからウスコクに実際より不利なレートで分配され、結局利益は軍政国境の起業家の懐に入ったのである。こうして、「セーニには少しのお金しか送られず、それも甚だしく遅れてのこと」になったのである。

遅延金を分配するため使節がようやくセーニへ来たときでさえ、ウスコクはごくわずかの現金しか受け取れず、また穀物の配給もウスコクの給与の一部であったはずなのに、穀物の購入や輸送の費用でさえ、かれらの給与から天引きされた。同様の天引きが軍政国境の倉庫から支給された布についても行われ、時には襲撃で使用する軍需品の分も天引きされた。また遅延金を支払う使節が、ウスコクの略奪の被害者に払うための賠償金も予め見積もっていたようで、一五八一年、かれら使節は「プレムダ（ザダル近郊の小島）で拿捕した船にあったすべての品を取り戻したにもかかわらず、未払いのウスコクの俸給分を賠償金として隠していた」という。

年月が経つにつれて、給与が全額出たとしても買えるものが次第に少なくなった。一六世紀の間物価が上がったのに対し、有給のウスコクの給与水準はほとんど同じだった。一五五一年の俸給帳によると、ウスコクの俸給はランクによって月三から五フロリン。この額は一五七九年まで上がらず、同年の通常のウスコク俸給の平均月額は四フロリンだった。そして一六〇一年までセーニ隊長区の辺境要塞のウスコクは、セーニ市内のウスコク俸給が五から六フロリンに上がったのに対し、四フロリンのままだった。

第六節　セーニ以外のウスコク

実は難民・兵士という意味のウスコクはセーニ以外の地にも存在した。古くは一五三〇年代から、内オーストリアのケルンテン州のジュンベラク地方（地図1参照）にあったフェルディナント大公の所領に定住した、主に正教徒の難民からなる集団がいた。かれらもウスコクと呼ばれたが、当時このことばは難民という意味だった。かれらは兵役と引き換えに土地を提供されたが、人工的に作られた組織で、小ぢんまりしたコミュニティだった。

ハプスブルク帝国の国境兵士は本来有給で、その大半が国境周辺や内オーストリアの出身だった。そこへ一五五〇年代から新参者がやってくる。かれらはクロアティア国境で二八〇〇人、スラヴォニア国境で二四〇〇人からなる有給兵士の軍団に加わる。基本的に月給制ながら、実際の支払いは不定期だった。それでもかれらは略奪品や戦利品といった収入もあったので、羽振りは良かったと

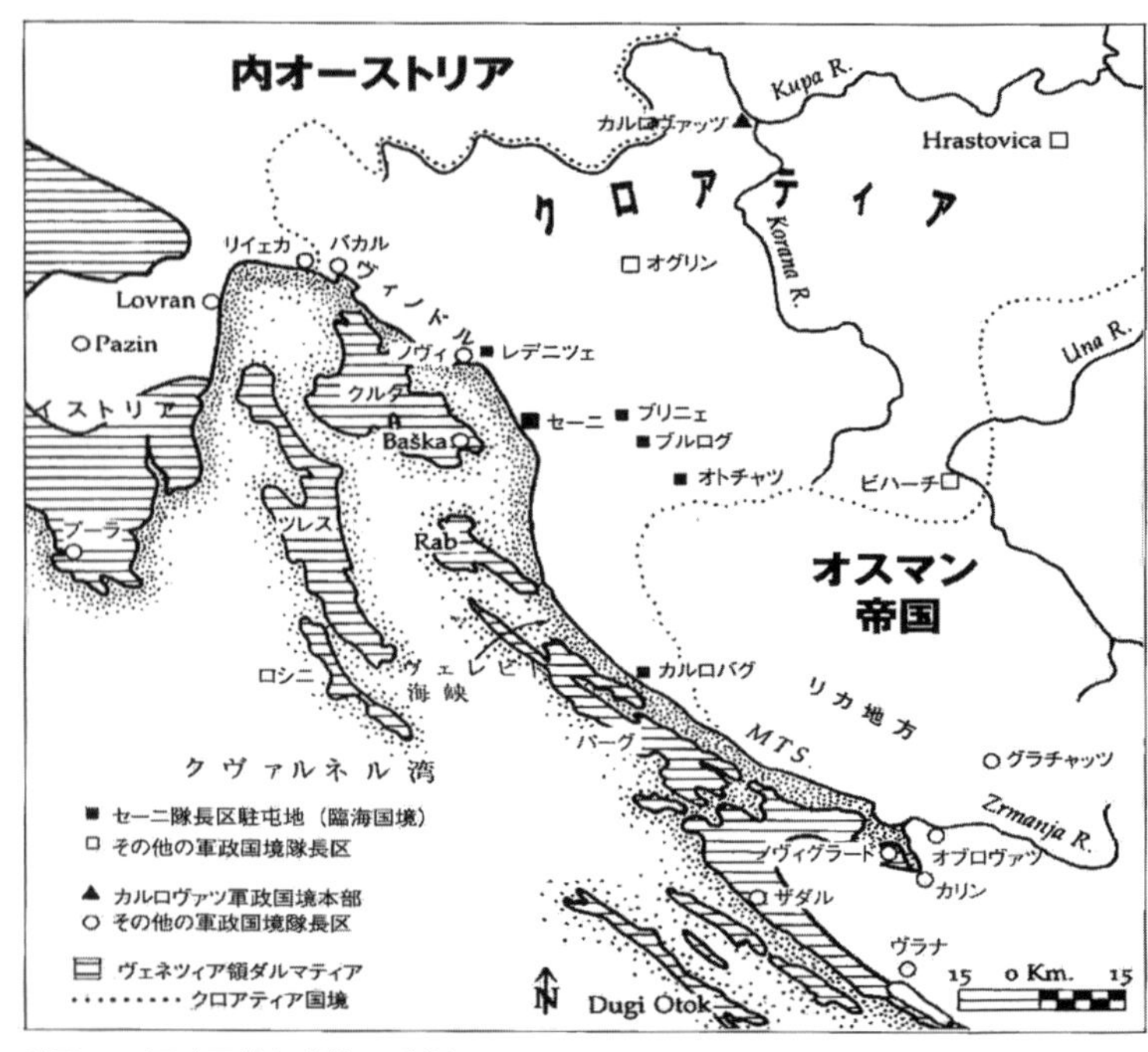

地図３　軍政国境と貴族の所領

思われる。これに、後述の無給兵士が加わる。

そしてとくにこの無給兵士を組織するため、地元貴族、宮廷とウィーン宮廷軍事局は、いくつかのパターンの組織を編み出した。

バカル・ウスコク

問題の一六世紀半ば、戦乱の中でも地元を離れられなかった住民と、バルカンの遠い国からやってきたもののハプスブルク軍に入れなかった人たちが、遊撃的な兵士集団をつくっていた。有給兵士の兵力だけではオスマン軍の大きな作戦に対応できなかったので、クロアティア国境とスラヴォニア国境それぞれで六、〇〇〇人もの正に無給の兵士たちが、こうした遊撃的な兵士集団を作り上げていた。

　この遊撃兵士の中でもヴィノドル地方（地図3参照）のバカルあたりに、一部はゴミリェ地方に来た人たちが、強力な領主の保護の下、領主の土地の取得と一定の税の免除を見返りに兵役に就いた。かれらは一五五〇年代からクロアティアの大貴族ズリンスキ家の領地に住み始めた。そして家畜にたいする税だけを払って、同家に必要な品々を運搬するという特別な地位を得た。領主ズリンスキ家は、かれらがヴェネツィア、ラグーザ各共和国の、オスマン帝国の、そしてセーニの船を略奪するのを許した。それどころか、かれらに与えた保護と引き換えに、略奪品の分配にも加わったのである。

　この集団もウスコクと呼ばれるのだが、セーニのウスコクと区別するためにバカル・ウスコクと呼ぼう。なおこの集団は、海賊というよりは（大貴族がかかえた）コルセアに近い。

　ヴェネツィアの商人たちは、バカル・ウスコクの悪行をハプスブルク皇帝に訴えた。オスマン帝国も一五六七年の末、バカルやバカラッツなどヴィノドル地方の領地でのウスコクの略奪を、ズリンスキ家に止めさせるようハプスブルク皇帝に求めている。しかしズリンスキ家は、あれこれ口実をつけて止めさせない。中でもとくに頻繁に使われた逃げ口上は、略奪行為の真犯人はセーニのウスコクだというものだった。皇帝からはその後も、真相を究明したり、ズリンスキ家に制裁を加えるような動きはなかった。たとえば、一五八二年に、皇帝はユーライ・ズリンスキに同家の領地からバカル・ウスコクを放逐するよう「厳命」を下した。しかし、それが実行されなかったにもかかわらず、しばらくして、皇帝はクロアティア国境の総指揮官にズリンスキ家の船を監視するよう命じただけで事を済ませた。

ヴィノドル地方のバカル・ウスコクも、ズリンスキ家も、セーニ・ウスコクと無縁ではなかった。かれらは、時々、セーニの船を襲った。ズリンスキ家は、セーニ・ウスコクの略奪品を安く買い取ったりもした。一方で、必要なとき、ズリンスキ家は、セーニの要塞の建設に同家の働き手を派遣した。セーニの要塞がヴィノドル地方にあった同家の領地も保護していたからだ。

つまりバカル・ウスコクの略奪は、プロフェッショナルできわめて実利的な行いだった。聖戦イメージや何かのイデオロギーのためではなかった。

世紀の変わるころ、一五九九年、ズリンスキ家はヴェネツィアと緊密な貿易を営むようになり、自分たちのウスコクにセーニの略奪品に関わらぬよう、そもそもヴェネツィアの船に触らぬよう命じた。一七世紀の初めにユーライ・ズリンスキはヴェネツィアとの交易にバカル港を使わせ、一六〇七年にセーニ・ウスコクがヴェネツィア商人の船（食用と思われる油を搭載した二隻、一〇〇〇ターラー相当の小麦を搭載した船一隻）を攻撃した際には、ニコラ・ズリンスキが加害者の処罰と船の返却を皇帝に激しくせまっている。

ズリンスキ家のウスコクは略奪を止め、他の活動（輸送、オスマン帝国領土の襲撃など）に方向を変えていった。バカル・ウスコクの場合、地域の政治情勢とは関係なく、ズリンスキ家の私的関心が、ズリンスキ家のウスコクに略奪行為をゆるしたのである。

スルーニ・ウスコク

さて、海から離れたスルーニとツェティン（今日のツェティングラード）にもウスコクがいた。海から離れていたため、海上や海岸での略奪などはないが、オスマン帝国からの難民ウスコクを組織化したのとは違うタイプの例として見ておこう。

この地域では、わずかに残っていた地元住民も、一五二〇年代から到着していた新参者も、地域全体に散らばっていた。さらに、より多数の集団が一五五〇年代になってから、「確たる約束」もなしにやって来た。

一五七二年一二月この地域で最も尊敬されていた軍人、フラニョ・フランコパン・スルニスキ総督が死去した際に、かれの後継者がフランコパン家の領地を取得しようとし、さらにオスマン側もツェティンやスルーニなどの土地を占領しようとした。この地域の覇権をねらうハプスブルク家は、一五七八年、有給兵士のおよそ六割が各地に分散していた状態を正し、全ての有給兵士を国境の要塞に配属することとした。これに加えて、オーストリア将校が指揮する四つの隊長区の他に、第五の、いわゆるウスコク隊長区を設けた。この新しい隊長区は、オーストリア将校ではなく、直接難民ウスコク部隊の隊長の指揮下に置かれた。この隊長区は、このあとも新参者や各地に分散した集団の個人を有給の兵士として受け入れた。

有給の兵士は、一二ヵ月軍役に就き、通常九ヵ月または一〇ヵ月分だけ給金を払われた。またハプスブルク家は、ウスコクたちが切実に必要としていた箇所に要塞を設置した。このような要塞の設置は、難民たちがオスマン側に戻るのを防ぎ、ウスコクとハプスブルク帝国のより強い結合を生んだ。

当然、有給兵士になれないウスコクもいたが、こういう人たちにハプスブルク家は特別な措置をとった。ハプスブルク家は、必要な場合に無給のウスコクを利用できるよう、六〇年代から無給のウスコクたちのリーダーにも給金を支払っていた。さらに一五七六年の支払い台帳をみると、宮廷軍事局は無給兵士に二つの「厳密な」措置を講じている。第一に、ウスコクの隊長と副隊長は、一二ヵ月全て給金が支払われた。第二の措置としては、「無給ウスコクの一二人の指導者（詳しい地位は不明）も、まる一二ヵ月分の給金を払われた」。たしかに無給ウスコクの指導者グループの給金は低い。一般の歩兵の給金が月三グルデン三〇クロイツァーだったのに対して、かれらの給金は二グルデンだった。しかし安定した収入だった。

こうしてクロアティア国境だけで、有給兵士以外に、無給の兵士六〇〇〇あまりが把握されていたと考えられる。ではかれらは、どのように生きていたのだろうか？ オスマン臣民の土地、時にはキリスト教徒の土地をも襲っていた。塩やその他の必需品を密輸した。家畜を飼った。そしてこの六〇〇〇人の中で、セーニの次に数多く、数千の無給兵がスルーニ、ツェティン周辺に暮らしていた。

これら数多のウスコクを数人の指導者が、わずかな資金で統率していた。ウスコク指導者たちは軍政国境のオーストリア支配層とつながりを持ち、さらなる出世を望んでもいた。一方で、略奪を通して金を稼ぐこともできた。ハプスブルク側にしても、効率的に無給のウスコクを戦闘なり、略奪に駆り出す手がかりができた。のちにハプスブルク家は、この安上がりな国境警備の方法を東のスラヴォニア国境に適用し、地元の貴族の領地を無給の兵士たちに与えることでかれらを軍役に就かせようとした。それが、スラヴォニア国境では地元貴族たちとの大きな政治的な軋轢を生んだ。それでも一八世紀になると、それまで有給兵士の名簿しかなかったところが、無給兵士の名簿が揃うようになるのである。

このように、遊撃的な兵士集団の組織化に関して、セーニのウスコクと難民受け入れの最も古い地域だったジュンベラクの他に、少なくとも二つの重要なウスコク・グループがあった。それが、バカルとスルーニのウスコクである。

とくにスルーニの例から一六世紀半ばから後半頃のクロアティア国境の姿が浮かんでくる。たとえば、史料によると、スルーニの大貴族フラニョ・フランコパンの砦や要塞の周りでは、あらゆる土地から人々が離散していった。以前は何百もの家族を抱えていたフランコパンが、今や二〇人の農奴しかいない。悲惨な状態といえる。近隣のズリンスキ家の領地でも、人口が激減した。クーパ川沿いのブロードとモラヴィツァあたりの広大な領地で、一五六〇年代には人口が消滅した。耕地も、ごくわずかしか残らなかった。ドゥボヴェツ、カルロヴァツあたりの地域も空の状態、そして一五七〇年代になり、堅実な防衛線が確立され、ようやく回復が始まった。それでも土地の大半は放棄されており、作物や家畜を育てるのに十分な時間も安全もなかった。だれかが金を持っていたとしても、小麦、オート麦のような基本的な食物も、ぶどう酒や干し草でさえ不足し、かつ入手も困難だった。いくつかの要塞（ビハーチ、ソコル、レピッチ）は言うに及ばず、ズリンやグヴォズダンスコの要塞の兵士たちは、しばしば餓死寸前だった。オーストリア軍当局は、物資の輸送に困難を抱えていた。ジュンベラクのように比較的平穏な地域でさえ、地元の農業がウスコクの食糧を満たしてはくれなかったのである。

第三章　聖なる略奪

本章ではアドリア海をめぐる国家間の、公式の経済活動について、ヴェネツィアを中心に観た上で、セーニ・ウスコクの国境上の、非公式な経済活動の特徴について見ていきたい。

第一節　アドリア海をめぐる経済圏

ヴェネツィアのレヴァント（東方）貿易

一六世紀ヴェネツィアのレヴァント貿易はオスマン帝国との関係に左右された。それでも一七世紀初めまで、ヴェネツィア商人はレヴァント貿易における優位を維持することができたといえる。おおまかに言えば一四九九年にオスマンとの二度目の対戦に突入した頃からしばらく停滞するが、一五三七年から四〇年の対オスマン戦争が止むと、一五六〇年代前半をピークとする回復期を迎え、再びキプロス戦争とペストの伝染による停滞期を経て、一六世紀末から一七世紀初めまで回復期が続いたと言っていいだろう。

ここではヴェネツィアのレヴァント貿易が、一五世紀末から一六世紀初めの停滞ののち復活した様子を見ておこう。具体的な産品にしぼってみると、まず香料については、ライヴァルのポルトガルも、そのヨーロッパへの供給を独占することはできなかった。それは、同国内での独占が非効率性をまねき、またアフリカを迂回する航路の輸送・防衛費などが足かせとなったため、レヴァントからヴェネツィアに運ばれる香料の価格と差をつけることができなかったからである。結果、ヴェネツィア商人による香料貿易が復活した。次に胡椒については、一五六〇年代前半にアレクサンドリアからヴェネツィアへの輸入量は、ポルトガルが東インド航路を開発する(ことで打撃を受ける)直前の水準を上回った。

他方で、一六世紀にはレヴァント貿易におけるヴェネツィアの地位は、フランスという新たなライヴァルによって脅かされる。フランスのフランソワ一世は、一五三六年、オスマンのスレイマン大帝と通商条約を締結し、フランス商人はオスマン帝国内でヴェネツィア商人と同等の待遇を認められた。そしてマルセイユが地中海の港として重要な役割を帯びるようになる。

さてラグーザ共和国(ドゥブロヴニクとその周辺)も一六世紀の間に発展した。ラグーザは一二〇九年のラテン帝国の成立とともにヴェネツィア共和国に服したが、一三五八年にハンガリーによって解放される。一五世紀になってオスマン帝国の支配がバルカン半島にまで及ぶとスルタンへの朝貢と引き換えに商業上の特権などを得た。

そのラグーザの収入は、ヴェネツィアとオスマン帝国が戦争状態になるにつれて増加したようだが、主な交易活動としては、バルカンの鉱物資源をヨーロッパへ輸出し、ヨーロッパから織物を輸入した。一六世紀後半、ラグーザの海上輸送力は地中海でも最大規模にまで達したといわれている。しかし一五七〇年代からはイギリスもレヴァント交易の舞台に登場してくる。一五九二年にはレヴァント・カンパニーを創設するが、この一五九〇年代は、地中海全体が飢饉に襲われ、イギリスさらにはオランダの船が穀物を地中海に運び、地中海に確固とした地位を築いた時期である。

ライヴァルの相次ぐ出現のみならず、ヴェネツィアにとって痛手だったのは、一五七〇年から七三年のキプロス戦争の結果、キプロス島をオスマン帝国に奪われたことである。この島は、一四世紀初めに整備されたヴェネツィア・ガレー商船団の目的地であり、世紀後半に船団の航路がベイルート、アレクサンドリアに延長されたときには、重要な中継基地になった。さらに一五世紀には、この島がヴェネツィアへの原綿の供給地になっていた。

以上のような厳しい状況にもかかわらず、ヴェネツィアの商人たちは、一六世紀末から一七世紀初めにかけてなお、レヴァント貿易における主役の地位を保っていた。実はヴェネツィアでは一六世紀に各種の手工業が発展するのだが、それも原料の調達から製品の輸出まで、レヴァントとの結びつきなしには成し得なかった。

手工業発展の背景には、中世後期から近世にかけて北イタリアの各地で勃興した輸出向け製造業の成功と、オスマン帝国市場との結びつきがあった。一方、フィレンツェなどのイタリアの奢侈品製造業が躍進するが、それもやはりコンスタンティノープルを中心とするオスマン帝国市場との結びつきがあった。このようなレヴァント交易路の拡充や、ポルトガルの香料貿易に衝撃を受けた商人層が手工業への投資を増大させた結果がヴェネツィア手工業の発展につながった。そして増大する人口が労働力の供給を可能にした。とりわけ、技術を持った職人が、戦争などに因り、ヴェネツィアに集まって来たことは手工業、とくに織物業の発展を一層可能なものにしたのである。

一方で、人口の増大は食糧問題につながった。そもそもヴェネツィアは都市で浪費する穀物の多くをシチリア・南イタリアやギリシアから輸入しなければならず、穀物供給ルートの確保は重大な問題だった。人口圧力がピークに達した一五七〇年代初頭には、東地中海の拠点であったキプロス島をオスマン帝国に奪われたことが誘因となって、ヴェネツィアの商人貴族が商業活動で得た資本を本土の土地に投資する傾向が強まる。一五八八年の数字では、パドヴァ、トレヴィゾ、ヴィチェンツァ、ヴェローナの一帯でヴェネツィア市民は一五万から一六万ヘクタールを所有し、それはパトヴァ地方の四分の一、トレヴィゾ地方の二割弱、ヴィチェンツァ・ヴェローナ一帯の三パーセントの土地を含んでいたとも伝えられている。

ヴェネツィアは、中世以来一六世紀まで地中海の海上交易の中心でありながら、一七世紀には急速に衰退した、そのような国の代表例と従来考えられてきた。しかし現在では、一六世紀なかば以降に輸出向け製造業が成長し、一七世紀になると海上交易にかわって絹織物製造業、ガラス製造業、印刷・出版業、大陸領土での養蚕や絹撚糸製造業等が、ヴェネツィア共和国経済の急速な衰退をある程度まで回避させたとみられるようになった。

近世ヴェネツィアでは、オスマン帝国がヴェネツィア製絹織物の重要な市場であったし、とくに、ヴェネツィアをはじめとするイタリア製の高級絹織物が、近世を通じてコンスタンティノープルの宮廷や上流階級で相当需要があったと考えられている。

それでも一七世紀に入ると、地中海地域は大きな変化の時代を迎えた。北・西欧諸国の船舶が本格的に海上輸送に進出する。数世紀にわたりイスラム世界からイタリアを通ってアルプス以北に伸びていたアジア産品のルートは、次第にオランダ船を主体とする喜望峰―アジアルートに移行していく。ただ、繰り返しになるが、イタリアと東地中海の交易関係は、かつて考えられたように一七世紀において急速に衰退したわけではないようだ。

ヴェネツィアと沿海地域の経済

今度は、ヴェネツィアとダルマティア経済の関係に的をしぼって観ておく。

ヴェネツィアによるダルマティア支配の当初（一四〇九年）から農産物などの産品がヴェネツィア中央に送られるようになるが、一四五〇年にダルマティア諸都市は、その産品をヴェネツィア市場に供給するよう義務付けられ、他方でダルマティア以北のプリモリェ諸港との取引は禁じられた。この禁止は地元の反対によって解かれるものの、ダルマティア諸都市はヴェネツィアの経済統制によって大きな影響を被った。最も大きな影響を受けたのはザダルであろう。ザダルの塩をヴェネツィアの専売にしたからだ。因みに、一五世紀後半にはシベニクやスプリットの市場取引の五十数パーセントをヴェネツィアが占有していた。

しかしながらヴェネツィアの経済政策も、一六世紀のオスマン軍勢の攻撃も、その影響は都市によって違う。伝統的な牧畜はパグ島やブラーチ島などの島々では盛んだった。一方一五五〇年代にはボスニアからの安価な穀物が輸入されるようになり、穀物からぶどうの栽培に切り替える農家が増えた。とくにクヴァルネル湾沿岸やブラーチ島では、ぶどう栽培が地元の経済発展をけん引する。ヴィス島やコルナートでは漁業と干物加工が盛んになる。

さてダルマティアの交易全体はと言えば、その大半を塩と穀物の取引が占めていた。一六世紀半ばにはシベニクの貿易量が沿岸都市の中でも抜きんでていた。シベニクには、塩の取引のため五〜六〇〇〇人のトルコ商人がいたといわれる。キプロス戦争の際には密貿易された塩の価格は、通常の十数倍になった。穀物とくに小麦に関しては、一六世紀半ばからダルマティアへの流入が始まった。

因みに、この裏で、オスマン側農民の収奪強化があったことも忘れてならないだろう。経済発展の影に何らかの問題があった点は、プリモリェ地方も同じだった。その多くの地域は大貴族フランコパンの所領だったが、ここでも他国の影響が経済に及んだ。まずオスマン帝国の脅威が増大すると、オスマン国境からクヴァルネル湾にいたるヨコの道よりも、リイェカやさらに北のリュブリャナ、トリエステにいたるタテの道筋の方が重視されるようになり、整備され始める。この街道を通って、一六世紀半ばにはとくにフェルディナント一世の領地を経由して家畜が運ばれた。フェルディナント一世は、アンコーナなどからの商品の積み出しを助成し、トリエステやリイェカの港へ、またリュブリャナなど内陸への流通を奨励したのである。この新たな経済・交通策から一六世紀のバカルは恩恵を受けていた。大貴族ズリンスキの広大な所領を通ってハンガリー辺りの産品が同じくバカルへ運ばれるが、リュブリャナからの物流もこれに加わったからである。しかしフェルディナントは一五六〇年代になるとリュブリャナからリイェカ以南の海に向かう街道の関税を引き上げる。これは家畜や皮革が北の、イタリア向けに積み出されること、なおかつ競合者ズリンスキ家の港に打撃を与えることを狙ったものだった。こうした状況の中でスプリットとプリモリェ地方の南北間の交易も一五三〇年代以降は衰退していった。

　ダルマティアはヴェネツィアとも一六世紀を通して取引を減少させていった。これについてはヴェネツィア自体が経済的自給の度を高めたことと共に、ダルマティアの諸都市がハプスブルク領（プリモリェ以北）や教皇領の都市との取引を高めたからでもある。中でもシベニクは皮革、羊毛やチーズ、トロギールは干物をイストリア半島の地域に輸出した。とくに貿易の絶対量が多かったのがスプリットだが、スプリットの開発は（先のフェルディナントのような）競合的な動きにたいするヴェネツィアの反応であり、それはヴェネツィアが一五九二年スプリットをガレー船団の目的地にするとさらに拍車がかかる。結果スプリットは東西の交差点になった。

　一方セーニは、ウスコクが跳梁し始めたころは経済が停滞していた。そこへ多くの難民、すなわちウスコクが殺到したのである。

第二節　ウスコクとセーニの経済

セーニの救世主!?

　ウスコクが急増するかなり前、セーニは商品取引の拠点として栄えていた。市の後背地にある鉱山から採掘される鉄、銅、鉛そして錫がセーニとヴェネツィアの間で盛んに取引きされた。麻、絹、羊毛、及びファスチアン織りの布、木材や木製品も重要な交易品だった。

しかし内陸との貿易ルートが切断されれば、中継港としてのセーニの重要性は大きく損なわれることになる。オスマン軍勢が、その内陸との貿易ルートを塞いだのである。それだけではなく、セーニの経済発展が阻害されたのは、内オーストリアの大公が木材輸出のためにリイェカ港に力を注ぎ、セーニを軽んじたからでもある。

このときセーニの町には、近隣の森林からの木材や木炭、あるいはヴェネツィアの兵器廠向けのオールやマストぐらいしか産品はなかったのである。セーニの木材は一四世紀からドゥブロヴニクなどへ盛んに輸出されていた。風の通り道になる谷間を除けば、セーニには深い森（オーク、松など）が広がっていた。しかし丁度ウスコクが活動しはじめたころ過剰な伐採が問題になり始めていた。洪水が発生したためで、そこで木材の伐採はある程度抑制傾向にあった。こうした中で、木材の不足に悩んでいたヴェネツィアの造船業は、再度木材の供給をセーニに要求する。しかしこのとき、ハプスブルク帝国がセーニの木材の伐採を制限したのである。

さてウスコクの非公式な経済、海賊行為についてである。ウスコクが襲ったのは、通常、沿岸貿易の船だった。島と島の間か、町から町へ、岸辺近くを、常に陸地が視界に入るかたちで航行する船だった。積荷は地元の産物、つまり山に住むヴラーフから買い付けたチーズや皮革、いくらかの塩漬けイワシ、樽に入ったワインや瓶詰めの油などだった。この沿岸貿易は古代から、岩だらけの岸辺に沿って、小さな入江に潜む海賊たちの格好の標的だったが、ウスコクはもっと大物も狙った。オスマン商人の品々をドゥブロヴニクやアンコーナに運ぶ帆船、ブリガンティン船を、ネレトヴァ河の河口地帯で待ち伏せしたり、アルバニアの海岸やドゥブロヴニクからヴェネツィアに向かう途中悪天候で身動き取れなくなったり、錨を下ろしていたガレー船を狙った。

ただセーニが海賊ウスコクの町になったからといって、この町に略奪しかなかったわけではない。すべての略奪品がセーニで消費されるはずはないので、略奪品は市場で売られた。この時点では、後背地からの蜜蝋、蜂蜜、皮革、そして粗い布地。ワイン、イチジク、および沿岸のサンゴ。高級な布、穀物などなどアドリア海や東地中海の産品がウスコクから商人たちの手に渡った。

略奪品の取引の実態

ウスコクたちの中には、国境兵の立場を大きく離れて、手広く商売をしようとする者もいたが、かれらの多くは戦利品を市場で買い叩かれた。商人がウスコクから略奪品を買うことは公式には禁じられていたからである。また略奪の成果はまちまちで、収入も不安定だったため、戦利品を入手するまで、あるいは給与を支払いに来る役人が到着するまで、ウスコクは商人らの掛売り(ツケ)に依存した。フェルモの商人ジョヴァンニも、セーニで最も裕福な商人の一人だったヴィンツェンゾ・デ・サンティチの商売のやり方を説明しながら、このような掛売りの様子に触れている。

デ・サンティチは油やワインその他アプーリア（イタリア南東部、アドリア海に面した地域）から運んできた商品を、貧しい人々にツケで売ったので、その意味では町の恩人と呼ばれるに足る人物なのだが、その貧しい人びとのツケを自分の都合良いように操作したこともまた事実のようだ。誰かが家族のために穀物、ワイン、油を求めたとき、「ツケでいいよ」とそれを渡したが、その代わり、かれらの略奪品の売上から、ツケ以上の銀の価格を「保証」として差し引いたようだった。こうして仲買人デ・サンティチは三万ドゥカト以上の「保証」金を集め、莫大な利益を得たのであった。

セーニの経済は、ウスコクの、戦利品をめぐる信用制度に拠って立っていた。たとえば、数多く見られたのが、ウスコクが借財を保証金でカバーできず、代わりに「約束手形を切らされる」ということ。また金を借りるか、掛けで商品を買うとき、たいていは専ら商人の側が掛売台帳を付けた。読み書きを知らないウスコクも多かったのだ。字を書けないのでサインはしないが、どんなに貧しい者でも銀の印章を持っていたのでこの書類に判を押した。（または自分が債務者であることを神に誓い、手で十字を切ったようである）。

こうして債務がふくらんだ結果、ウスコクが略奪品を持ち帰ると、または、かれらが給与を支払われると、すぐに、かれらの収益は借金の返済に当てられた。「豊かになったウスコクなど聞いたことがない」とは当時の大司教の弁、（実際はそのようなウスコクも一部いた）。さらにかれは、老いさらばえた一人のウスコクの話を記録に残している。「かれは不具の身になり、一日中ベッドに横たわっており、助ける者もいない。往時は多くの戦利品に関わり、分け前の総額は八万ドゥカトを優に超えたと自慢していた。それが今は惨めな乞食である」。アドリア海の貿易の富を彼らは手に入れたかもしれない。しかし、ウスコク自身はそれを蓄えることができなかった。

収益は仲介人の手に、債務の支払いか、投資の見返りか、はたまたウスコクの分け前の買い取り分として、いち早く渡されたのである。

セーニの町を通過する貿易量は、過去数世紀のそれと比べればほとんど無視できる程度のものだったが、セーニの市民はまだ熱心に、かれらが国王から認められた特権を守り、あらゆる手段を使って、北アドリア海の一大市場であるセーニの役割を強化しようとした。その意味では、（まだいくつかの貿易品がセーニの港に届いていたものの、それだけでは頼りなかったので）、ウスコクの戦利品は大いに歓迎すべきものだった。またセーニの市民は、この町を通る交通量を増やすためにも、ウスコクを利用しようとしたようだ。

セーニは略奪品の集まる場所として、当初、短期間は栄えた。だが、結局は多くの品々を一時的に収納する倉庫の役割ぐらいしか果たせず、戦利品から十分な利益をひきだすことはできなかった。倉庫としても、バルバリア海賊の拠点として発展した、北アフリカのアルジェのようにはなれなかった。理由は簡単だ。ウスコクの最も活発だった時期でさえ戦利品の入荷が不定期で、それ以上にその量が少なかったからである。

セーニはウスコクと軍政国境地帯の需要を、一定の期間満たすのには十分だったかもしれないが、略奪の絶対量が、襲撃と襲撃の間に一つの商業センターを維持するには十分ではなかったのである。またもしウスコクが略奪に行かなければ、他所からの買い手が買いたくなるような商品に事欠いたし、あるいは「関連商品」も不足した。たとえば経験豊富な奴隷商人はチェーンや手錠などをトリエステなどで予め買い揃えてからセーニに来て、ガレー船用の奴隷を探したという。

ヴェネツィアによる封鎖、制裁が始まると、セーニはその商品を頻繁に、安く売りさばくことを余儀なくされた。また、ヴェネツィアからあるいは自分たち自身の上司であるオーストリア支配層から圧力があった場合、その商品を売る市場を選べなかった。そして、よくあるように、利益を得るのは戦利品を買い取る側であった。たとえば、件の商人ジョヴァンニは、ウスコクが戦利品の布を他のどこでも捌け(さば)ずに、ヴェネツィアの商人に買い叩かれる様子を記録に残している。「かれらは最も安い値段で自分たちの商品を売り払うしかなかった。その売り先は言うのもはばかれることだった。というのも、それはクルク、パグ、ラブ、ツレス、オソルの修道院長ら、そしてイストリア地方の修道院長だったのだ。一ブラッチオで四ドゥカトはするベルベットが、一ドゥカトに買い叩かれた。緋色の布その他も二束三文。そしてこれらの修道院長は、帰り道ヴェネツィアに寄り、トルコ人らに転売したのだ」。

ダルマティアやヴィノドル地方の人々以上にウスコクの略奪品から利益を得たのは、リイエカさらにはトリエステという北アドリア海の二大貿易都市だった。両都市は略奪品を安価で買いあさっただけでなく、ヴェネツィアや後背地の商人にそれを転売したのである。

とくにリイエカは、北アドリア海で最も活発に、ウスコクの戦利品を売り買いした。リイエカは、セーニを経由して来た品物を扱う上で利点があった。たとえば、一六世紀の終わりまでにリイエカ市当局は、市の岸壁に係留する際に徴収される税をセーニの船については免除し、セーニとの貿易を奨励した。ハプスブルク家がヴェネツィアに遠慮してトリエステでウスコクの物品の取引を禁止する姿勢を見せたときでさえ、リイエカの商人たちは、そのような禁止措置を採らなかったのである。

略奪の禁止

ところで、一五九七年頃になると、ウスコクの略奪行為について当初は見て見ぬふりをしていたハプスブルク帝国も、政治情勢・外交関係の変化にあわせた対応をとらざるを得なくなった。そのため、ヴェネツィアだけでなく、ハプスブルク当局もウスコクの襲撃を禁じざるをえなくなる。

そのような中、ウスコク部隊のトップである隊長は、しばしばウスコクの立場で給与や物資補給を要求したり、中央の軍政当局からウスコクによる襲撃を非難されたときにはかれらを擁護したりした。

隊長がウスコクの襲撃を助けるのはそれなりに理由があった。隊長の給与は内オーストリアの貴族の助成金から支払われたが、そもそも支払いが不定期で、その足りない部分をウスコクの戦利品で補っていた。具体的に、一五五八年の軍政国境当局の分け前は、一五ドゥカト以上の値打ちがある戦利品の四分の一であり、それが境界の現場の将校と、この隊長に回された。ところが一六世紀末には、質の良い戦利品が与えられるとはいえ、分け前は戦利品の十分の一に固定される。そして一六〇〇年の改革に至っては、隊長の取り分そのものを廃止する。このとき隊長たちは、その代償として、給与の引き上げを要求したのである。

ただ一般のウスコクは、命懸けの襲撃に参加しない隊長に分け前を与えるのを嫌がった。一方、分け前を見込んで襲撃の許可を与える隊長もいた。隊長の給与八〇フロリンにしても、実際は、「つきあい」のワイン代で消えてしまう程度だった。こうした状況から、隊長が宮廷軍事局の意向に従わず、ウスコクの襲撃を認めざるをえなくなるのである。

しかし仮に隊長がウスコクの襲撃を止めようと思ったとして、一体かれに何ができただろう。一五九八年のユーライ・レンコヴィチ将軍は船を岸壁に縛り付けて襲撃を止めた。その後頻繁に行われた対策としては、隊長の主導で、軍政国境当局がウスコクの略奪行為をすべて登録させるということがあった。略奪品の差し押さえも行ったが、これにはウスコクたちが先手を打って、セーニに戻る前に略奪品を分配してしまった。

一六〇〇年のラバッタの改革で、許可のない襲撃を行ったウスコクは捕らえられ、処刑されることになる。しかし、物資不足が深刻な場合は、ウスコクの遠征が特別に許可された。一六〇六年のある事例では、ウスコクの生活が逼迫したため、ヴェネツィアの人々に危害を加えないという条件付きで遠征が許可され、許可証が発行された。この許可証も、実際は「オスマンの商品を捜索するため」という名目で、ウスコクによって悪用されたし、一方、許可証を持っていると言いながら、それを見せないケースもあったようだ。

歴代の隊長はウスコクの襲撃を抑えようとしてきたが、結局のところウスコクに収入の道がなければ、かれらの襲撃を禁止することはできなかった。一五七六年に隊長になったラーブも、宮廷軍事局への報告の中で、ウスコクが規律に従うかどうかは、給与がちゃんと支払われるかどうかにかかっていると記している。実際給与は支払われなかったので、ラーブは襲撃に懲罰を科すことで事態に対応しようとした。それには兵力が必要だったが、隊長には兵力も足りない。ドイツ人部隊だけでは不十分だった。たしかに、懲罰の実行を見届けるための使節団が時折やって来てはいた。この使節団は、他の国境地域の部隊を従えており、この武力をバックに、ウスコクを尋問したり、襲撃船を焼いたりすることもできたはずである。しかし使節団はまれにしかやって来ない。隊長ラーブは、結局、軍政国境当局の「権威」に頼ってヴォイヴォダたちを従わせようとした。そしてヴォイヴォダたちが、この「権威」を無視して直接ヴェネツィアの代表やオスマンの臣民と取引したり、ウスコクたちに隊長の指示を無視するよう仕向けているとラーブは訴えようとした。かれの監督下で、あるウスコクに対する裁判が行われた。その法廷へ例のユーライ・ダニチッチが乗り込み、なぜ被告某だけが裁かれるのかと問い詰め、裁判の正当性そのものを否定した。またダニチッチとヴォイヴォダたちは、裁判が極秘に行われることは異例であり、公開にするよう求めた。ヴォイヴォダたちは「よそ者」がウスコクを裁くのが許せなかったのであり、裁くならばその権限はセーニの町全体に与えるべきだと主張した。結局ラーブは、ダニチッチに隊長である自分に従うよう命じ、ダニチッチは「隊長はあなたで、私はヴォイヴォダにすぎません。あなたが良い隊長である限り、私も良いヴォイヴォダであるよう努めます」と答えた。表向き、隊長や宮廷軍事局の命に従ったのである。しかしおそらくウスコクは、ヴォイヴォダと隊長であれば、ヴォイヴォダの方を信頼していたと思われる。

　結局のところ隊長は、ヴォイヴォダに比べると「よそ者」で、隊長の背後にいる中央権力の施策がウスコクの要請とどこまで合致しているかによって、隊長の影響力も変わったのである。

宮廷軍事局さらには軍政国境当局とウスコクの略奪

　これまで見てきたことからすれば、ハプスブルク帝国の中枢と軍政国境当局はウスコクの不服従に対して徹底した対応を取れなかったことになる。ではなぜそうなったのか？

そもそも国境の戦争には、主要な軍事作戦と同時に、例の小さな戦争が繰り広げられるのだが、その略奪部隊がオスマンの軍勢を国境の向こうへと押し返すのに貢献し、またかれらのおかげで貴族や大公、皇帝の財政的負担を軽減できたのである。ハプスブルク帝国にとってウスコクはこうした国境兵の理想の形だったのではないだろうか？給与の支払いが滞ってもセーニの部隊はいつも兵士で溢れたし、とくに無給兵士ヴェントリーニは予算のかからない補助部隊だった。

それでもヴェネツィアや教皇から圧力がかかれば、ハプスブルク帝国はウスコクによる船舶への襲撃を抑えなければならない。政治的圧力のみならず、ヴェネツィアの海上封鎖は内オーストリアの大公にとってリイェカやトリエステの交易上大きな痛手になる。だからこそ、海賊行為を控えるようセーニにラバッタ使節団を派遣せざるを得なかったのである。

もちろんオスマン帝国の外交圧力も大きく関係した。すでに一六世紀の半ば、ハプスブルク帝国中央がオスマン帝国との停戦を摸索していたとき、セーニやヴィノドル地方のウスコクは停戦の妨げになった。そこで大公フェルディナントはウスコク統制に乗り出した。一五四八年三月使節団がセーニに到着、無給のウスコクをハプスブルク領から追放すると通達、一方有給の、とくに家族を持つウスコクたちは「オスマンとの戦闘要員として領内に留まって良い」と宣告した。また略奪行為で訴えられたウスコクは処刑されるという情報も流された。しかしヴェネツィア公使は、ウスコクを完全に追放しないかぎり海賊行為は止まないし、ウスコクがオスマンにたいする警備兵として欠かせない以上、かれらを追放することはできないことを見抜いていた。

ウスコクの活動を長らく抑えられなかった最大の要因は、関係者間で合意を形成することの難しさにあった。改めて整理すると、セーニは国王自由都市であり、クロアティア・ハンガリー国王兼皇帝の支配化にある一方、部隊は内オーストリアの大公に属した。帰属の問題に加え、両権力者の、国際関係にたいする見方の違いが対セーニ政策を複雑にした。皇帝はオスマンとの「宥和」を望み、大公は国境での「牽制」を重視した。さらには各層の利害関係が絡んでいた。ズリンスキなど大貴族や海岸の諸都市はウスコクを抑制して、ヴェネツィアの報復を避けようとした。一方、内オーストリアの貴族や軍政国境当局はウスコクがもたらす戦利品をあてにしていた。また内オーストリア貴族の新教徒の中には、ウスコク問題がカトリックたる皇帝や大公に、反旗を翻す機会をもたらすのをうかがっている者もいたかもしれない。

こうして一六世紀を通して、一貫したウスコク政策がとられることはなく、ハプスブルク帝国の利益に明らかに反することがなければ、当局はとくに介入しなかったのである。しかし一五九〇年代からヴェネツィアの圧力が強まり、とくにその海上封鎖が行われると、ウスコク活動のメリットよりもデメリットの方が大きくなる。するとグラーツの宮廷軍事局はいよいよウスコクへの統制を強めたのである。

では、それまでの数十年、現場の軍政国境当局はウスコクの略奪行為についてどのような態度をとっていたのか？　経済的自助努力として、やはり黙認していたのだ。

そもそもハプスブルク当局に数多くの国境兵士の給与を担う財政力はなく、むしろウスコクの略奪品は、軍政国境の将校たちの収入の中に確実に組み込まれており、軍政国境の財政に貢献した。

さらに国境当局の上層部にはウスコクの略奪品、とくに高級品が提供された。

ただ、略奪がオスマンやヴェネツィアとの外交問題になれば取締を強化しただけのことである。とくに一六世紀から一七世紀への変わり目の取り締まり強化は、それまでとは大きく違った。

さてウスコクたちの、略奪以外に収入を確保する道が、ハプスブルク当局以外の手で模索されていた。まずはローマ教皇が異端対策と戦利品分配という点から、一五三〇年代ウスコクに関心を示し、また一五七九年には教皇の船を襲わないという条件でウスコクへの援助を約束していた。次にヴェネツィアも、援助を示唆した。ただしそれを実行はしなかった。

結局ウスコクは略奪による自活しか道はなかったのだが、それがマルタ騎士団のように資本蓄積にはならず、ウスコクの生活そのものを保証するに足るものでもなかったのである。

聖戦と実利

セーニのウスコクの活動を、広く、アドリア海の商人はどう見ていたのだろうか?

かれらが警戒心を持って見ていたのも無理はないが、中にはウスコク活動を自分たちの利益に役立てた商人もいた。何人かはウスコクとその犠牲者との仲介者という役割を演じて利益を得た。例えばセーニとオスマン領の間を往き来しながら、オスマンの人質の解放について、一定の報酬を条件に交渉人になった商人がいた。また他の商人は、低価格でウスコクの戦利品を買いたたき、それを転売して利益を得たのである。

しかし、総じていえば、境界領域の商人はウスコクの行動から利益を得るよりも失うことの方が多かった。貿易を生業とする人たちの痛手になったのは、ウスコクの直接の攻撃だけではない。ウスコクがキャラバン隊を攻撃したために、ダルマティア海岸各都市からの輸出が減ったこともダルマティアの商人にとっては痛手になった。またダルマティアの諸都市は、オスマン帝国にその農業後背地を奪われ、食料をその後背地からの輸入に依存した。イスラム教徒支配者に対する恐怖や敵意がどんなに強くても、ダルマティアの商人たちは自分たちの毎日のパンがオスマン帝国の隣人たちとの平和に依存していることを実感せざるを得なかった。

ウスコクの襲撃は、どんなにかれらが聖戦の時代に国境のキリスト教徒から好感を得たとしても、ダルマティア商人からすれば商売や、生活を危険に陥れるものであった。ダルマティアの商人たちがヴェネツィア政府にたいしてウスコクに関する苦情をいうのは、こうした経済的な側面からだった。ザダルの貴族・商人グレゴリオ・グリソゴノが、一五八八年に、ヴェネツィアの商務局に苦情を述べたところでは、ウスコクのせいで、ヴェネツィアとレヴァントの間の貿易ルートがダルマティア海岸から沖に離れるようになり、また島々からの収入もウスコクの襲撃のせいで減ってしまった。ザダル、シベニク、トロギール、スプリットおよびネレトヴァ河口の港の関税収入も、かつてのように潤沢ではなくなった。そしてオスマンのキャラバンも、ウスコクの出没を恐れて、その数が減少していたのである。

その他の人々も、ウスコクの襲撃がダルマティア諸都市への穀物や家畜の輸出を減少させて、輸出する側の内陸部の経済を荒廃させた点を告発している。オスマンの臣民が、身代金や貢納金代わりに、「実勢よりも割高な価格」でセーニに穀物を送らされるケースもいくつかあった。ザダルの修道院長は、このことが穀物に依存する海岸の町々に深刻な影響を与えたと明言した。ダルマティア諸都市の間では、クリス要塞の奪還に人々が一時的に熱狂したときでさえ、聖戦や十字軍そのものに希望を抱く人はまれだった。ラグーザの、ベネディクト会のとある修道士はウスコクを解放闘争の有力な戦士と見ていたが、このように見る人は少数派だった。ベネディクト会修道士の、ヴラーフ出身の女預言者が次のように歌っても、それがダルマティアの商人に響くことはなかったのだ。

東に目を向け、ウスコクを導き、
キプロスと島々を守れ！
神のなせる業として、
武器と利き腕とで、
コンスタンティノープルを奪い取れ！

ダルマティア海岸の港や都市の上層などがセーニのウスコクに敵意を抱いていたことは、ラグーザの商人ペータル・ヘクトロヴィチが、ニコラ・ナリェスコヴィチ（同じくラグーザ商人）にあてた手紙からも分かる。それは、ウスコクは単なる強盗や悪党に過ぎず、人々に救いよりも禍（わざわい）をもたらすのみだと記している。

ハプスブルクの諸港、とりわけリイェカの上層は、セーニのウスコクをその貿易の邪魔をする、諸刃の剣と見ていたであろう。

リイェカの町の協議会と隊長は、一時期ウスコクを自分たちの都合の良い私兵として利用し、ライヴァルの港町バカルの船の邪魔をさせた。ヴェネツィアから攻撃された時は、リイェカの防御のために八〇名ほどのウスコクを雇ったほどである。しかしリイェカは（またトリエステも）、一五九〇年代と一六〇〇年代初めにヴェネツィアから海上封鎖をされたり、ウスコク戦争の際は直接攻撃されるなど、ウスコクを利用したために高い代償を払わされるのである。このような状況下でリイェカは、穀物をセーニへ運ぶのを禁じ、セーニとの関係を一切絶とうとする。リイェカの造船所も、ウスコクのために船を作ることを禁じた。またリイェカ当局は、「渡し舟の小屋」の一つをとりこわすよう命じた。そこがウスコクのたまり場になり、町がどうなろうと、自分たちの儲けしか考えないような商人たちとウスコクの取引場所だったからである。

セーニのウスコクの側はこのような侮辱的な施策に怒り、リイェカに来たときはリイェカ市民に悪態をついたり、脅したりした。街の外でも、その腹いせに、ブドウ畑や果樹を荒らしたりした。それが、過去にこの町の協議会から受けた恩義に背くことだとしても、ウスコクはウスコクで、リイェカがヴェネツィアやライヴァル港のバカルと武力衝突をした際に、命懸けで戦ってやった恩義の方が大きいはずだと考えたのだった。

第四章　境界

アドリア海では一六世紀まで海賊は相手の国家へのダメージになるよう掠奪などを行ったが、一七、八世紀になると海賊は身内の国家からも統制されて、その主な活動を密輸に移していく。国家の空間も、このときボーダー・ゾーンからボーダー・ラインで区切られるようになっていく。このような変化の中で、ウスコクの間でも、一七世紀初頭、かれらの聖戦意識に乱れが生じる。またヴェネツィアが海上封鎖すると、ウスコクはついに住民を襲うようになる。

また、境界がゾーンからラインに代わる中で、国境を越えた現場の境界民のコミュニケーションも、徐々に限られていったと考えられる。

第一節　沿海地域全体における聖戦意識の共有

セーニ・ウスコクは、その多くが国境兵士やヴラーフ牧畜民の出身であり、かれらは、ライフスタイルや価値観も共有した。ただし、冬に海岸へ下りてきたヴラーフをウスコクが襲ったり、あるいは農民に害を及ぼしたヴラーフをウスコクが制裁のために襲うケースもあった。つまり価値観を共有したとしても立場が違えば、対立することもあった。

しかしウスコクが生れ故郷の親類や友のネットワークを保ったことは何より重要なことである。それが、ウスコクがだれを襲い、どこに逃げ込むかに大いに関係したからだ。実際ウスコクの妻たちはウスコクとその親兄弟の間でつなぎ役をはたし、かれが人質になれば身代金を運んだり、情報を伝える役もつとめた。そのような妻を切に求めるウスコクが他人の娘を拉致し、無理矢理娶ってしまうこともあったくらいである。

ウスコクと農民の関係について、ヴェネツィア当局は同じクロアティア人同士だから友好的なのだと考えていた。たしかに農民たちはヴェネツィア政府に命じられてウスコクと闘うときは消極的だった。またオスマンと戦う中で、一つの民族意識のようなものが生まれただろう。しかし戦闘の個々の局面では、敵対するケースも多々あった。

一方聖戦意識については、イスラム教徒への憎しみが募り、現場の神父が何度も宗教対立について説教する中で、キリスト教のための聖戦というイメージが醸成されただろう。そしてこの聖戦イメージから人々がウスコクを支持する場合もあったと思われる。

中には、社会的反抗の意思表示のために、ウスコクを支援する者もいた。実際、ヴェネツィア領民やオスマンの臣民で、それぞれの社会や国家に不満を持つ者がウスコクになることもあった。小商人の大商人にたいする反感や、貧乏人の些細な不満が（反権力の）ウスコクへの支援につながることもあった。しかし農民の側は、ウスコクの略奪は社会的反抗というより私利私欲のためではないかと疑っていた。たしかにウスコクを讃える謡も、その多くがトルコ人と戦った勇敢さや名誉には触れている。しかし、弱い者を助けたり、正義のために立ち上がる姿を描いてはいない。むしろ妻や母を泣かせる情景、粗暴さなどはリアルに描けているのだ。

要するに親類や友人のネットワーク、聖戦イメージが重要であるのだが、もう一つ周辺＝境界の倫理が重要である。ヴェネツィアの領民であっても、クロアティア海岸に住む人々は、それが農民であれ貴族であれ、ヴェネツィア中央の考え方とは違っていたはずである。一方オスマンの側でも、周辺国境の住民が抱いていた不満はオスマン中央への敵対心につながっていた。したがってウスコクの行動が、中央からはどんなに常軌を逸しているように見えたとしても、ウスコクが中央ならぬ周辺民衆の抗議を示すチャンネルや、やり場のない怒りを表に出す手段になる可能性があった。セーニのウスコクは、そのような周辺なりの勇敢さや無敵ぶり、そして暴力によって、賞賛と恐怖と尊敬の入り混じった叙事詩のヒーローだったのである。

ヴェネツィアのダルマティア総督ニコロ・コンタリーニが一七世紀のウスコクを描いた記述によれば、「かれらは『トルコ人やユダヤ人以外からは、その金品を奪わない』と言っている。だが、そのことばを信じたばかりに、やつら悪漢どもの不敵な振る舞いを助長してしまった。今や奴らは無差別に人を襲う、ならず者に過ぎない」。ウスコクのことをヴェネツィア人がこのように悪く言うために、実はウスコクはトルコ人やユダヤ人だけを襲うと公言したことはない、という事実も見えにくくなる。ウスコクが無差別に人を襲ったというのも、真実ではない。かれらの襲撃は盗賊団がやるような無作為の、大規模な攻撃ではなかった。ただイスラム教徒やユダヤ人、あるいはか

略図３　16・17世紀クロアティア境界民（ウスコク―モルラク）
およびオスマン兵に共通する精神世界と目的

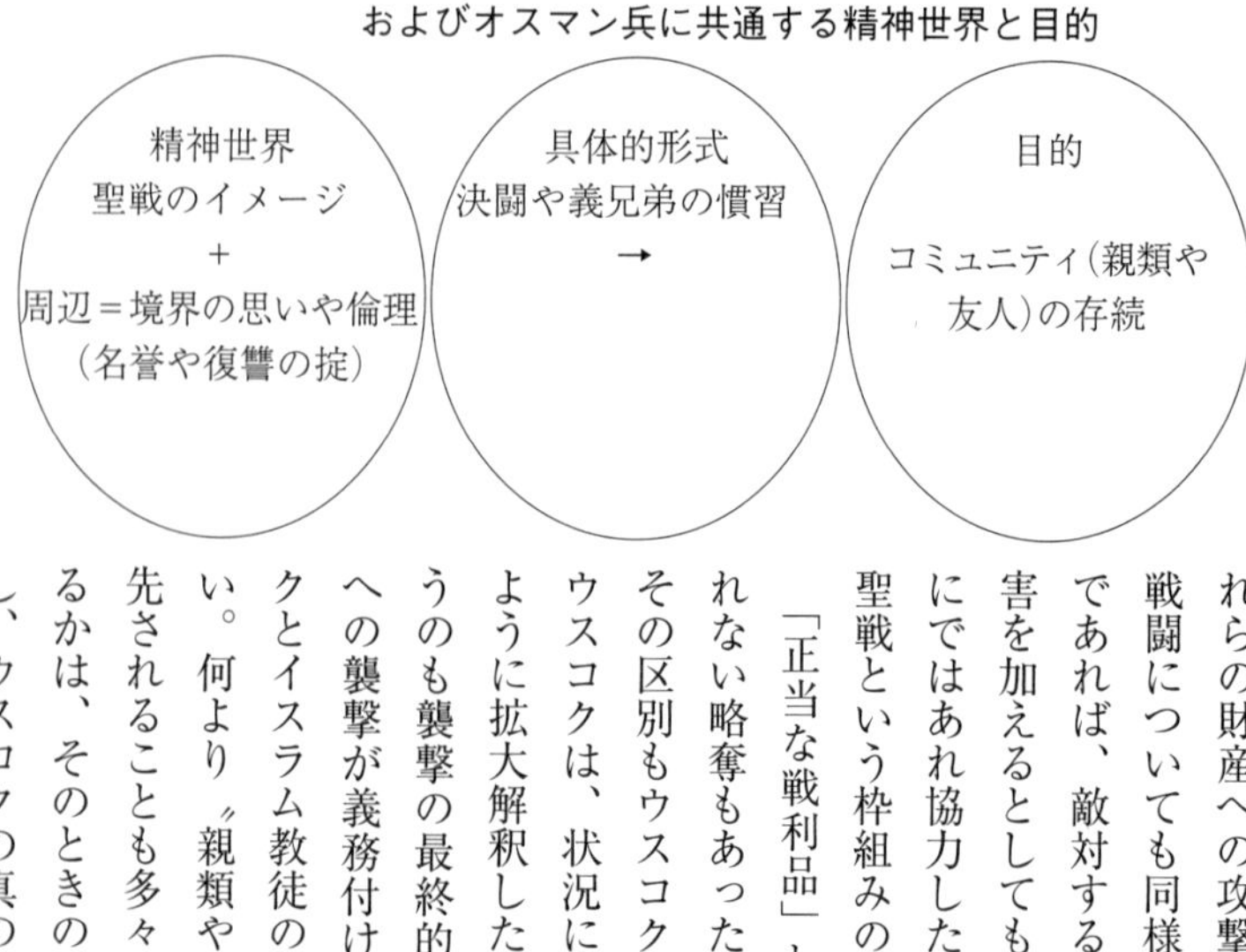

れらの財産への攻撃に容赦がなかっただけである。敵地の住民との戦闘についても同様であり、このような戦闘も、同じキリスト教徒であれば、敵対する異教徒よりは手加減された。キリスト教徒に危害を加えるとしても、それは、相手が敵と公然と、あるいはひそかにではあれ協力した場合のみ正当化された。こうした襲撃の全てが、聖戦という枠組みの中では正当だった。

「正当な戦利品」という考えがあった以上、反対に不当で、許されない略奪もあった。ただこの区別がはっきりしていた訳ではなく、その区別もウスコクの側と襲われる側では認識も違っていた。実際ウスコクは、状況によっては、この区切りを自分たちの都合の良いように拡大解釈した。相手がどれだけトルコ人と協力したか、というのも襲撃の最終的な目安ではなかった。〝聖戦〟によって異教徒への襲撃が義務付けられたといっても、〝周辺＝国境〟ではウスコクとイスラム教徒の関係がいつも、変わらず敵対的だった訳でもない。何より〝親類や友人〟が生きることの必要性が、他の何より優先されることも多々あった。ウスコクの行為がどういうかたちを採るかは、そのときの条件や可能性といったものの全体に係っていたし、ウスコクの真の要求もその中に含まれていたのである。

ウスコクの最後と沿海地域の民衆

ウスコクは、一五九〇年代初めヴェネツィアからの攻撃を受け、セーニの領海の外では襲撃を控えることを約束させられる。しかし、とくに無給兵士などは極度の物資不足から襲撃の場所を選べず、いつしか領海の外に出てしまった。一五九〇年代も末になると、いよいよ芳しくない報告が増える。ウスコクは奪う価値があれば何でも、辺りかまわず略奪するようになり、そこがオスマン帝国やヴェネツィアまたはラグーザ共和国（ドゥブロヴニクなど）の海なのか、相手が教皇の船なのか、キリスト教徒のものか、あるいはイスラム教徒の船なのか見境がつかなくなる。時折追及されて困ったとしても、ウスコクはそれがイスラム教徒の船だったとうそぶいた。また時には、セーニを離れ、ひたすらほとぼりが冷めるのを待つこともあった。

ウスコクがヴェネツィアのダルマティア住民から家畜を盗み、漁船を奪ったという非難や攻撃が増したのも一六世紀末のことであって、ヴェネツィアの地方長官も非難の声を強め、ウスコクを見かけながら報告しなかったならば、重罪に処すると住民たちを威嚇しはじめた。そしてハプスブルクの法廷に訴えるため、住民の証言をかき集めだした。この間ウスコクによる物資徴発が増えたようで、ヴェネツィアのウスコク討伐隊長も「ツレス、クルク、ラブあるいはパグといった島々は、あらゆる家畜を、ウスコクに提供するためだけに飼っているような状態だ」と訴えている。ウスコクは、この当時も、物資の供給にたいし支払いをする姿勢を時折見せている。たとえば一五九八年、ショルタ（スプリット近郊の島）近海で魚一箱と、他の品を徴発する代償に、ウスコクの一団は「セルビア風の着物四ケースと豚の脚三本」（これらの品は法廷で披露された）を払った。しかしかれらは、次第に、欲しいものをただ奪うだけになる。単独で襲撃を行なう無給兵士の部隊の場合、襲った相手にたいして法外な要求を突きつけたりした。その一例が、トロギールのイヴァン・トミッチが訴えたケースである。かれは、一五九九年腕を包帯で巻き、首からつるすという出で立ちで法廷に現れた。トミッチは木を切りにいった帰り、ウスコクのミホ・オルジェニッチに拉致され、けがを負わされたと主張した。オルジェニッチは、付近を数ヶ月間荒らしまわっていたウスコク部隊の一人で、この部隊はセーニから許可なく出てきた無給兵士だったようだ。オルジェニッチは、たまたま拉致したトミッチを八時間も連れ回したのち、聖母マリアに誓わせてトミッチを解放したのであった。

ウスコクが食料を探し回る間は、ハプスブルク帝国の住民であっても安全ではなかった。先述のように、一五九〇年代の末、クロアティアのユーライ・ズリンスキ伯爵がヴェネツィアと取引をし始めた。そして自分の領民がセーニのウスコクと交易を行なうのを禁じた。そのため、ヴィノドル地方の人びととウスコクの関係は悪化していた。一六〇九年一人の無給兵士イヴァン・カラーリャが、ヴィノドルにあったズリンスキ所領の村ブリビルの農夫から羊を奪った。カラーリャは、支払いを請求されると、これを拒んだだけでなく、この要求に激昂して仲間と共に、農夫の家を焼き、息子を殺し、その牛も潰してセーニに持ち帰った。このときカラーリャは、逆に無給兵士の惨状を訴えている。セーニの隊長にあてた嘆願書には、こうある。「ほかに方法がなかったのです。われらの惨めな生活ぶりについてご報告申し上げます。われらには身を立てる術が何もありません。何しろここ数年襲撃の機会がなく褒美はありません。元より、われら無給の兵卒には皇帝からの給金もないのですから」。

　セーニのウスコクが、北方のヴェネツィア領を襲撃するケースが、次第に増えて行く。ウスコクは港町リイェカから情報や食料を運びだすことはできた。そこから南下し、ヴェネツィアが監視するヴェレビト海峡やセーニ南西の島々からオスマン領へつながる経路（地図3参照）は避けて、北方のヴェネツィア海域に漕ぎだした。一七世紀のはじめからイストリア地方の地方長官たちから、繰り返し、ウスコクが商船を襲ったとか、海岸の村を襲って家畜や食料を奪ったとかいう報告が送られるようになった。イストリア半島もセーニを海上封鎖したヴェネツィアに対する、ウスコクの報復活動の舞台だったのである。問題は、その代償を支払ったのが最も払い得ない人々、つまりイストリアの貧しい村人たちだったことだ。一六一二年ウスコクは、ブルグダッツとラニシュチェという村で、二〇軒のわらぶき屋根の家々に火を放ち、牝羊や麦の束を焼き、多くの家畜やチーズを持ち去った。それは、執拗に繰り返された報復の一つであった。付近の村ローチのグラゴル派（クロアティアに古来からあるキリスト教の一派）神父は古写本の傍注に、セーニのならず者たちのことを「その名はキリスト教徒だが、行いは異教徒にも劣る」と書き記している。

　それまで、一五九〇年代末のウスコクは、クリス要塞をトルコから解放する動きに加わったことで、ダルマティア海岸で大いに名を上げていた。当時のヴェネツィアの地方長官は、キリスト教徒兵士でハプスブルク帝国の代表であるウスコクにたいして住民が「熱狂的に支持している」という報告を繰り返し送っていた。ダルマティアでのウスコクの襲撃が村人にまで及ぶようになっても、ウスコクへの支持はなくならなかった。ウスコクがシベニクの市民たちと衝突したあとの一六〇四年、地方長官は、「このまさに野蛮で、人非人たる復讐者（ヴェンデッタ）」を嫌う者よりもむしろ好む者の方が多いことを認めている。

同様に家畜や食料が住民から徴発されていたにもかかわらず、一六一五年にヴェネツィアの湾岸長官はラブ、クルクそしてパグといった島々の島民が「ウスコクに同情しており、ヴェネツィアよりも（ウスコクを放任する）ハプスブルクに好意的だった」と報告している。しかしダルマティアでウスコクの強奪が激しさを増すにつれて、住民の忍耐は限界へ近付いていった。ポリィツァとオミシュ・クライナのキリスト教徒住民は、神聖ローマ帝国皇帝マティアスとフェルディナント大公（後の同皇帝フェルディナント二世、在位一六一九―三七）にたいし、ウスコクの攻撃からの保護を嘆願した。そのため、この攻撃を止めるようにという触れがセーニの町で出されるのである。

セーニの人々は、同じキリスト教徒への襲撃を、許していたわけではなかった。さらにウスコクの中には古くからの掟を未だに守っている者もいた。この人々は、セーニ第一の敵は「トルコ人とトルコに奉仕する輩」であると信じ、ウスコクの英雄ヴラトコヴィチの忠実さを引き合いに出した。またセーニの人びとは、政治的に考えても、キリスト教徒の大公はもちろん、キリスト教徒の住民も疎んじてはならないことも承知していた。こうした人々は、キリスト教徒の船や住民を襲うウスコクに制裁を加えた。セーニの名を汚し、町をヴェネツィアからの報復に巻き込む者、国境の規律を破り、住民の怨念を招く者として非難した。例えばマティヤ・クリシャニン率いるウスコクの一団が、イストリア半島の港町ポレチ近海でヴェネツィアの船を襲い、八〇〇ターラーの金を奪ったとき、セーニ隊長グシッチはヴォイヴォダらに裏切り者の追討を命じた。また、セーニ住民の八〇人ほどが、すぐさま教会へ行き、定めに背いた者どもを追い詰めることを誓ったともいわれる。

しかしこのような場合でも、ウスコクが一致して自分たちの行動の正当性を主張した場合、隊長といえども、規律を守らせることが難しかった。そのときの様子を「セーニの有給兵士と無給兵士は、どう見ても薄汚い悪党のように癒着し、一匹のカラスも仲間のカラスの目をくりぬくことはしなかった」、と隊長グシッチが証言している（一六〇九年）。この隊長は、襲撃を禁じた触れ書に従うこともできなかった。そもそも隊長自身、襲撃を制限することに抵抗があったからだ。こうした状況では、ウスコクの部隊それぞれが、襲撃を行うのにさしたる障害もなかっただろう。

第二節　境界独特の価値観の共有

トルコ人に対するセーニの強い敵意だけで、境界のイスラム教徒とウスコクの関係を語ることはできない。また、この関係は単に破壊的なだけではなかった。かれらは敵同士ではあったものの、境界という一つの共通世界に生きていた、そして、実際には、多くの要因がウスコクとイスラム教徒の間の反目を和らげた。

近年の歴史研究では、コーカサス地方のような境界地域でも、異文化同士の間で互いを認め合う例外的な、「透過性」ともいうべき文化要素があることが指摘されている。

このような〝周辺＝境界〟の倫理には、名誉やヒロイズム、復讐の、そして、実と義理との親類関係にともなう責任についての共通した規範も含まれた。この共通した規範から生まれた、最も念入りに作られた慣習が、ウスコクとイスラム教徒の「決闘」（襲撃ではない）であり、かれらは互いの名誉をかけてこの慣習の下で闘った。ヴォイヴォダ、イヴァン・ヴラトコヴィチのイスラム挑戦者との決闘は、イヴァンの戦歴の中でも特筆すべきものとして、そして、セーニと軍政国境の栄光の物語として、セーニ大聖堂の参事会によって称えられた。決闘の相手アフメット・アガ・ツカリノヴィチの左腕を襲ったヴラトコヴィチの劇的な一打、アガの命までは取らなかったという寛大さと血まみれのトロフィーを携えたかれの凱旋は大衆の心に深く刻み込まれたようで、この物語はいくつかのバージョンで二〇世紀にまで語り継がれた。

決闘という慣習は、キリスト教徒とイスラム教徒の武力による衝突を、儀式のかたちを借りて抑制するものだった。その決闘には双方の部隊が参加するが、通常は二人の代表だけが闘い、どちらかの絶命ではなく騎士道のルールによって勝敗が決せられた。こうして流血を減らしたものの、決闘の儀式は境界の人間関係の中心にあったイスラム教とキリスト教の対立を覆い隠すものではなかった。むしろこの対立を、二人の代表の勝利または敗北が、それぞれの仲間や境界に名誉または恥をもたらすといった、最も単純な、一目瞭然の形で表現したのである。海岸地方では、古くからキリスト教徒と「ムーア人」（北西アフリカのイスラム教徒）の闘いを模した踊りがカーニバルで演じられてきたが、一五七一年の一〇月、レパントの戦い（ギリシアのレパント沖で、オスマン・トルコ海軍と、教皇・スペイン・ヴェネツィアの連合海軍の間で行われた海戦）の最中、ザダルの町ではオスマン軍の騎兵六人と自軍の戦士六人が槍を交わすのを見るため、人々が家々の壁に立ち並び、屋根に登って見物したと記録に残されている。

実の血縁関係が明かされて、ウスコクの命が救われることもあった。捕えられたウスコクのためにオスマン高官がヴェネツィアの当局に送った嘆願が、その一例であろう。一五八八年に、ヴェネツィアのウスコク討伐隊長が、訪問中のオスマン代表団を喜ばせようと、捕えたばかりのウスコク六名をかれらの目の前で処刑すると言い出した。それに対して代表団は、かれらの助命を求めたのである。ウスコクの一人が著名なオスマン隊長の近親だったのである。血縁関係が、境界の対立を抑制したことになる。

実の血縁関係が存在しなかった所では、義兄弟の風習によって、深い関係がつくられた。この関係性は、宗教や政治の境界を横断し、さらに人命にとって、人間集団にとって破壊的な対立をおさえる働きがあった。キリスト教徒とイスラム教徒の義兄弟は、ウスコクにまつわる口語詩のおなじみのモチーフでもあった。たとえば、決闘する戦士たちがしばしば義兄弟になった。そして、かれらの対立もかれらを結びつけるための「からくり」とみなされたのである。

一五七九年のザダルとスプリットの宗教会議が、イスラム教徒とキリスト教徒の間で結ぶ義兄弟の契りを禁じたが、まさにそのことこそ、義兄弟の儀式がまれではなかったことの証なのである。

義兄弟の関係は、流血を最小限に止めて、宗教や政治の境界を横断する、安定した関係を築くために、時折意図的に結ばれた。一方一五八八年にオスマン政府は、ウスコクの襲撃を拡大させないために、襲撃で捕縛された人質をウスコクから受け戻すことを禁止したが、この禁はどちらの側にも受け入れられなかった。身代金と引き換えに人質を受け戻すことは境界「経済」の重要な一部だったのである。

実際、セーニのウスコクがオスマンのリカ地方長官と人質交換を行った例（一五八九年）がある。長官の兄弟ハリル・ベイ（ザダル後背地の軍指揮官）が、ヴォイヴォダのユーライ・ダニチッチと交渉するため、海岸に下りて来た。かれらは身代金について話し合ったが、身代金の額があまりにつり上がっており、もはや払えないほどの額になっていた。両者は、贈り物を交換したが、肝要なのはハリル・ベイとユーライ・ダニチッチが義兄弟の契りを結んだことだ。二人は「同じ寝床で、互いの腕を枕に」寝たともいう。その後互いの襲撃は再開されたものの、襲撃は互いが同意した範囲内で行われた。この場合、義理の兄弟関係が、交戦双方の利益になるよう襲撃を制限する約束を、より確かなものにしたのである。

聖戦の理念にもとづくウスコクとイスラム教徒の間の対立を緩和するような力が現場で働いた。それが、身代金欲しさからだったか、一般的な、平和な暮らしに対する欲求からだったかにかかわらず、ローカルな自己利益を求める動きが末端の社会にあったことはたしかだろう。

一五八二年にヴェネツィアのウスコク討伐隊の隊長が、ウスコクとラヴニ・コターリ地方カリンのアガが休戦を結んだという報せを受けた。隊長は両者の間の使者を待伏せして、ある手紙を奪い取った。それはウスコクが、サバ・アガやカリンの指揮官とムスタファ・アガ・コスィテロヴィチらの提案に答えるものだった。この文書から、交渉の条件やトーンを知ることができるので、詳細に紹介しておきたい。

……あらゆる賞賛と名誉に値するサバ・アガとムスタファ・アガ、並びにカリンのすべての英雄たちへ、
　これからは、今までほど頻繁にあなたがたの地を訪問しないようにとのご要望了解しました。そしてこれまでの手紙で、われらの部下がカリンを通過する必要があるときは何の妨げもせず、礼儀を示してくれることを、イスラムの信仰にかけて約束をなされたことを理解いたしました。そこでは、あるいはどんな場所においても、速やかに部下たちを助けて、適切な道を案内し、一方かれらを追跡する者は間違った方向に追いやってくださるということも承知しています。
　われわれの存在を知ったとき、あなた方が自らの名誉のために一、二発の銃弾を放たざるをえないときも、われわれがそれを悪く取らないようにするという件ですが、それがあなた方の名誉を傷つけるものでなければ、そのようにお取り計らいくださって結構です。
　以上が真実で、同意を得たものならば、われわれセーニのヴォイヴォダは、すべての他の英雄たちとともに、キリスト教徒としての信仰にかけてあなた方の提案を支持致します。……。

手紙は、「友人」ユーライ・ダニチッチ、パヴレ・ラスィノヴィチとマティヤ・トゥヴルディ＝スラヴィチそしてヴォイヴォダたちと「その他セーニのすべての英雄たち」によって署名された。この協定全体を見る限り、カリンのオスマン当局は、ウスコクが自らの管轄地域をただ横切るならばそれを認め、ウスコクはウスコクでカリンを襲わないことを示唆している。ただかたちとしてオ

スマン側が発砲することをウスコクは認めた。

ウスコクとアガたちの利害が一致したことは明白である。かれらが摩擦を少しでも減らしたいと願っていたことが、敵同士の握手につながった。この手紙は、表面上対立する両文明の代表者間にコミュニケーションの方法があったことを示す好例である。この書簡は、「セルビア語」（当時国境で使われていたキリル文字のことば）からイタリア語に訳されたものである。つまり文明の代表者間のコミュニケーションの基礎に共通の言語があったのである。ただウスコクとオスマンのアガたちは言語だけでなく、文化も共有していた。とりわけ名誉や不名誉にたいするこだわりである。ウスコクは、イスラム教徒は世界を相手にしながら自らの名誉を護るためにはウスコクと戦う体裁を作る必要があることをよく解っていた。双方にとって、名誉はこの合意を保証するものであった。そして、双方がそれぞれの信仰に誓いながら、敵同士を結びつけた。名誉は、彼らに合意をもたらすことができる共通項でもあったのだ。

この事例から、政治的な忠誠やイデオロギーよりも地元の利害が優先されるもう一つの動きが見て取れる。二つのグループ間で交渉した使者は、ほかならぬ（ヴェネツィア領）ノヴィグラードの治安判事ニコラ・カティチだった。ウスコク討伐の隊長が、この恥ずべき合意に関わりながら、なぜ判事はザダルの修道院長に報告しなかったかと尋ねたとき、判事はノヴィグラードの隊長やある武装船の隊長と諮った上で、それがこの町の利益に最も適うと考えたのだと答えている。カティチはさらに釈明を続け、オスマンの兵士たちはウスコクへの報復として過去六年以上ノヴィグラードを襲撃しており、少なくとも四七人の人質をとった（当時の統計によるとこの町に成年男子は一〇五人しかいなかった）。オスマンのアガたちは「ウスコクとの休戦が結ばれた以上、オスマンの側もノヴィグラードの物や人がこれ以上損害を受けることはゆるさない」と明言した。オスマン側のカリンの役人と同様、ノヴィグラードのヴェネツィア役人も地元の安全を確保するためには国家中央への政治的忠誠も曲げたのである。

これらの交渉をヴェネツィアが察知したにもかかわらず、合意は生きていたようだ。むしろそれは、オブロヴァッツやウチテリといった近郊のオスマン居住地にまで広がった。この合意が結ばれた直後に、カリンを回避してより遠くの村をウスコクが襲撃したことがあった。これには地元のオスマン住民が協力したとさえいわれている。実際、次の年も、ウスコクが同じ地域を襲撃した。双方の合意は、イスラム教徒と血の兄弟の契によって強化されていた。そしてこのウスコクは、「まるで彼ら自身がトルコ人であるかのように」飲み食いをともにしたのである。休戦に関わったとされるオスマン役人は上司によって罰されたが、そのかなり後でさえ、この合意はウスコクとオスマン臣民の共通の利益になったようである。一五八〇年代後半に、ザダル近郊の事情に詳しい人物によって書かれた、ある匿名の報告書が、ヴェネツィア人の目線で、詳細に、ウスコクと境界のオスマン住民との関係を描いている。

……かれらが我々の境界に入るとき、ウスコクはほとんどいつもオブロヴァッツの川で船を降りました。この場所に馴染んでいる様子で、船でこの川に入るとき必ずオブロヴァッツの主要なトルコ人たちやいわゆるクルンポテ・モルラク（元遊牧民の国境兵士）、その他の近隣住民に会いに行きました。こうした人たちは貢納を払っており、もう何年も付き合いがあったので、ウスコクたちは安心して話をすることができたのです。カリンの要塞の、セディ・イスラムやウチテリの、また近隣の他の村のトルコ人たちも、まるでかれらが兄弟または近い親戚であったかのように自由に、談話することのできる仲間でした。……。

これは、偶然に詳細な証拠が残っている、数少ないウスコクとトルコ人の協力の例である。また他にも、これに類似した取引について、間接的な言及がある。それは、通常一時的で、両側の必要を満たしており、力の均衡に支えられながら、互いに名誉をかけて誓い合い、血の兄弟の儀式ともてなしの共有とによって強化された。

ウスコクの時代や文化から離れて見たとしたら、これらの取引を聖戦にたいする裏切りとみなすことは、あまりにも容易なことだろうが。

ウスコクがセーニから追放されて一世紀ほど後になって、外国人の目でウスコクの行為を評価することのないように警告する叙事詩が、境界に残っている。二人のウスコクがオスマンの町グラモチをウスコク仲間の襲撃から守ったのだが、そのことを、ザダルに派遣されたヴェネツィアの「知事」が、ウスコクとグラモチのイスラム教徒の癒着として非難した。それにたいする答えが歌になっているのだ。

貴いザダルの若き知事／あなたは冷えたワインを飲みなさる／

白きザダルの入口で／涼しいひかげで腰掛けて……／
しかし、境界を守るのは難しい／血塗られた手を拭いながら……／
知事よ、お静かに／静かにして多くを語らぬ方が／
ここには依怙地な子らがおりまする／父も母もいない子供らが／
銃と剣とが、彼らの父と母なのです。……。

境界の双方の戦士たちは、戦争を強制的な物の交換などの機会ととらえ、境界を利用して生計を立てようとしたようにも見える。こうした機会における共通の利害は、自分たちの上司や中央政府から独立した、境界兵士による一定の相互協力につながることもあった。信条と価値観の共有、定期的なコミュニケーション、平和への望みととりわけ自衛本能の感覚は、生き残りのための露骨な争いを和らげるのに大いに役立ったのである。

本書の各所で登場するヴェネツィア警備兵モルラク（元はヴラーフと同じように牧畜民）だが、かれらが境界で対立する者の間でバランスを取った例がある。ウスコクより時代は数十年下る。一六八〇年代に、オスマン軍勢がオーストリアのウィーンに攻め込んだ頃、隣り合うヴェネツィアもオスマン帝国と戦争せざるを得なくなる。しかしアドリア海沿岸の国境地域には、もともとヴェネツィアの正規の兵隊がいない場所もあった。そこでヴェネツィアは、国境地域に住みついていたモルラクを傭兵として雇うことにした。そして一六八四年から、ヴェネツィアとオスマンとの間で起きた戦争では、実際にモルラクたちは兵士として戦うことになる。

ストヤン・ヤンコヴィチなる人物がいる。かれもまたヴェネツィアから国境の警備をまかされたモルラクの一人だったが、勢力が拡大したヴェネツィア領のモルラクに対して、一六八二年頃からオスマン軍勢は総攻撃を行い、大虐殺を始めた。それに反撃するため、ストヤンの同胞はオスマン軍に対し組織的な攻勢をかけようとした。だが、必要以上の流血を怖れたストヤンは、彼らを説得し、攻撃を止めさせたのでる。
一方、そんなストヤンについて後世の人びとが語り継いだ歌は、境界のバランスよりはかれが自分たちの家族や仲間を守る姿を讃えている。ストヤンは若い頃、オスマン・トルコの軍勢に囚われながら、厳重な警備をかいくぐって故郷へ財宝を持ち帰った。歌のタイトルは、『ストヤン、スルタンの財宝を盗む』である。

オスマンの軍勢がコターリを襲った。ストヤンの館も荒らされ、
いとこのイリヤと共に連れ去られた。ストヤンには新妻がいた。
トルコの兵隊はイスタンブルに連れて行った。
スルタン様は立派なお方、ストヤンをトルコ兵に仕立て、
九年と五ヶ月、側におき、
一つ館もあつらえた。
けれどイリヤが囁いた。
「ストヤン、明日は金曜トルコの祝い。スルタン様も物見遊山。

お前は蔵の、わしは厩の合鍵を。
持てるだけの宝と駿馬を盗って、
帰ろうふるさとコターリへ、離れ離れの家族に会いに」。
戻ったイリヤは館へ、ストヤンはぶどう畑。
そこに老いた盲目の母がいた。
「見ず知らずの兵隊さん、ご親切に。
息子が1人おるんじゃが、トルコの兵
隊にさらわれた。残った嫁は気高い女性。
九年と五ヶ月待っとった。
それが今日、再婚することに。
わしは憐れで見ておれんかった」。
事情を察したストヤンは、
急いで館に駆け付けた。
そこには祝儀の客たち、
一同かれを迎え入れ、
酔ったストヤン声あげた。
「つばめの鳥が巣を編んだ。
九年と五か月ものあいだ。

その巣を今日はこわすという。
そこで鷹が飛んできた。
スルタンの鷹巣をこわすなと
皆に告げるため」。
この歌聞いてみんな黙った。
だけど妻は気がついた。
ストヤンの姿を見返した。
そして手を広げ抱きしめた。
母は何度も息子をたしかめた。
母はその場で倒れ、
ストヤンは母を抱き抱えた、
スルタン様がするように。

この歌によれば、スルタンは異教徒でも、ストヤンを勇士と認め、「九年と五ヶ月、側におき、一つ館もあつらえた」。しかし、それでも、人はコミュニケーションが持つ力や長期的な利害関心(立身出世)の一致が持つ力を過大に評価し過ぎてもいけないのだろう。この物語は、略奪と逃亡で終わる。異教徒同士の関係は、尊敬または寛容さと同じくらい、やはり暴力と恐怖とに基づいていたのである。

第五章　ウスコクとヴラーフ

第一節　揺れ動くバルカン半島

　本章ではウスコクがそもそもどういう人びとだったのかを見ていく。ウスコクの多くは難民であり、一六・七世紀の変わり目にはヴラーフといわれる人々が、難民の中でもとくに重要な役割を果たした。

　ヴラーフは元来遊牧民（中世からは完全な遊牧民ではない）だが、いわば誇り高い勇士の集団である。バルカン中央部および西部のヴラーフは、ローマ人起源だが、中世の間にスラヴ人と同化したと見て良いだろう。

　かれらが兵士・海賊になり、またその姿がのちの軍政国境の兵士農民に近づいていく様子をセーニとその周辺地域について見ていきたい。

迫りくるオスマン帝国

　一五二二年、セーニはハプスブルク家の大公フェルディナントの管轄下となり、対オスマンの軍政国境地帯に組み込まれた。

そのセーニが文字通りウスコクの拠点になるのは一五三七年のことである。それまでは、セーニからおよそ三〇〇キロ南の、クリス要塞がかれらの拠点だった。ボスニアが最終的にオスマン帝国に占領され（一四六三年）、続いてヘルツェゴヴィナが占領されると、そこに住んでいたクロアティア人などの住民は北に移動する。またクルバヴァ平原で大きな戦いがあり（一四九三年）、クロアティア軍勢がオスマンの軍勢に大敗すると、アドリア海に面した山々にもオスマンの軍勢が侵攻してきた。その山岳地帯の最後の砦がクリスの要塞である。

バルカンの住民にとってオスマン侵攻は激しい略奪を被ることを意味した。ただそれは征服までの第一段階に過ぎず、非正規兵による激しい略奪のあと第二段階では正規兵が主な要塞を制圧し、第三段階でこのような要塞を拠点にしてオスマン帝国は軍政支配を始めたのである。

オスマンのバルカン侵攻については、ヨーロッパ側のバルカン研究者の間でまるでエイリアンの侵略かのように見る傾向があった。しかしオスマンが長期にバルカンを支配できたのは、その支配に一定の合理性があったからであり、またオスマン支配層にはバルカンの在地出身層が多く含まれていたことも勘案する必要がある。このように、近年は、オスマン支配の「異質性」や「外来性」といった固定概念の見直しがされているのである。それでもオスマンの「合理的な統治」が、略奪から同盟、臣属、直接支配化という順に進められたことはオスマン側の研究者たちも認めるところである。

オスマン側による略奪はアクンと呼ばれ、アクンジュと呼ばれる非正規兵たちによって行われた。

略奪は小隊に分かれて機動的かつ徹底的に行われ、物資・金品、奴隷が対象になったようである。騎士たちは自分たちの意志で掠奪に参加し、戦利品だけを収入として得た。この騎士たちをオスマン帝国は台帳に記載し管理していた。略奪も、気まぐれなものではなく国家によって組織されたものであった。ただアクンジュの多くがバルカン旧支配層の中・下級騎士、つまりキリスト教徒だったことも忘れてはならない。バルカンは、やはり宗教や文明が交錯する地域である。一方略奪される側の住民たちは家や土地を離れ、どこか異国の地に移るしかない。（時にはオスマン帝国内の土地へ移ることもあったが、それも自分と家族が奴隷にされないためだった）。

土地も家も捨てて逃れたクロアティア人住民らが逃げ込んだ先の一つがクリス要塞だった。記録によると、一五〇四年、あるボスニアのクロアティア人貴族が三二人の騎兵を従えて住み慣れた地を離れてやって来たが、その後はもっと貧しい人たちがクリス要塞に逃れてきたようである。クリスは、ボスニアを制圧し海をもねらうオスマン帝国から海岸を守るには重要な拠点で、その守備隊の中心人物がペータル・クルジッチだった。かれはここでオスマンの軍勢を牽制し続ける。クルジッチはハプスブルク家のフェルディナント（オーストリア大公、在位一五二一―六四、神聖ローマ帝国のローマ皇帝フェルディナント一世、在位一五五六―六四）に正規兵の給与の支払いや要塞への物資援助を求めるが、オーストリアの財政も逼迫していた。そこでかれは、ボスニアから来た難民たちによる略奪を黙認した。正規兵でさえ給与が滞おる中、難民たちには略奪しかなかったからである。あるとき難民たちは、オスマンの遊牧民を襲って一〇〇〇頭の牛、一〇〇頭の馬、五〇〇〇匹の羊を略奪したといわれる。いささか大雑把な数字ではあるが、このときすでにクルジッチは難民たちの略奪をイスラム教徒にたいする聖戦であると公言している。

混乱するハンガリーとクロアティア

一五三七年、クルジッチが戦死すると、要塞自体の水不足、物資不足もあってクリスの守備隊は降伏し、要塞をオスマンの軍勢に明け渡す。それでもクリスの残党たちはセーニに場所を移して、オスマンとの戦いを続けたのである。すでにセーニにもいくらかウスコク的略奪者はいたのだが、クリス要塞の陥落とともにセーニの戦士は急増した。この頃から海の略奪者、セーニのウスコクの名前が知られるようになる。もちろん一六世紀末ほど盛んではなかったのだが。

それまで山中で活動していたクリスの戦士たちも、港町セーニの地理的状況に見合ったかたちの海賊活動をするようになる。セーニは不毛なカルストの海岸に立ち、北東の激しい風ブーラが吹き荒ぶ山並みの下に位置した。一六世紀のセーニはまだ小さな町で、周囲一〜二キロを深い森に囲まれ、森がその背後にある高い山々とともに、内陸からのあらゆる攻撃から町を守っていた。海岸は入り組んでいて大きな軍艦などは入り込めないし、クヴァルネル湾はかなり荒れるので外国船が船を操るのは容易ではなかった。こうしてウスコクたちは、比較的小規模な、オールの数で言えば六から八、多くて一二ぐらいの船でオスマンの船を襲い始めたのである。

さてこの、海沿いでの動きから、さらに俯瞰して、内陸の、セルビアからハンガリーへ向かう経路でのオスマン侵攻を見ながら、オーストリアによる軍政国境全体の形成過程を概観しておこう。難民やヴラーフはまずはこの内陸のルートをつたってクロアティアにやって来たのである。

スレイマン一世の率いるオスマン帝国軍はベオグラードを陥落させ（一五二一年）、ドナウ川を越えて、ついにはモハーチでハンガリー軍を打ち破る（一五二六年のこと）。

モハーチの戦いで敗れたハンガリーは、中央のオスマン帝国領、東のトランシルヴァニア公国領と北西部のハンガリー王国に三分割される。モハーチの敗北について、ハンガリーの歴史家はこう説明する。当時ハンガリーでは国内の統一が失われていた。国王ラヨシュ二世が貴族勢力の掌握に手こずっており、野心的な貴族サポヤイ・ヤーノシュが王権を狙っていた。まずは王権をめぐる争いがあったのである。次に、カトリックとルター派の対立が激しくなり、指導者ドージャが率いる農民反乱（一五一四年）以後貴族が農民を抑圧しており、宗教の対立に身分の対立が絡み合っていた。そして頼りになるべきオーストリアはフランスと対立し、ドイツも宗教改革や農民戦争という内憂を抱えていたという次第である。

このような事情の他に、軍事的な要因も関係していた。

一五三七年、軍司令官カツィアナーはクロアティア国王フェルディナント（一五二六年に国王ラヨシュ二世からハンガリー国王を、二七年からクロアティア国王も継承）の軍勢を率い、東スラヴォニアの地ゴリャンでオスマン軍勢と戦う。しかしこの戦いは準備不足のため苦戦となり、カツィアナーは戦場を放棄して逃走してしまう。惨憺たる結果であった。そもそも狭い意味のクロアティア（オーストリア庇護下で独立が守られたが、現在のクロアティアより狭い地域）、スラヴォニア（中世クロアティア東部の平野部）そしてハンガリー王国の兵力はどうなっていたのだろうか？　少し時間をさかのぼって見てみよう。

一四九三年クロアティアのクルバヴァ平原、そして右のモハーチとゴリャンでオスマン軍勢に敗北する中、二つの地域とハンガリー王国は高位の貴族を数多く失った。この敗北と喪失は、主に、よく組織され補給の行き届いたオスマン軍の、機動的で軽装の歩兵や騎兵に比べ、ハンガリー王国とクロアティア、スラヴォニアの不十分な軍事組織と古めかしい戦術、装備が招いた結果であった。

こうした不備の全てはハンガリーよりも、クロアティア＝スラヴォニア（狭義のクロアティアと、スラヴォニアの一部から成る国境地域を指す）で顕著に見られた。大きな作戦では農民軍もいくらか防衛の穴埋めにはなったものの、訓練と装備が行き届いていないためそれ以上のものにはならない。一方、野戦から包囲戦に戦争の重点が移ると、要塞が以前よりずっと重要になる。多くの貴族が、両地域を支配したハプスブルク家の国王がそう進めたこともあって、一五二〇年頃から自分の砦を国王に引き渡していった。スラヴォニアの貴族にしても、国王の助けなしでは、戦略的に発達したオスマンの攻撃に抵抗することはできなかった。「国境の要塞はとても古く、荒廃しており、人員も不足していた。軍隊は野戦でも弱かった。スラヴォニアの防衛戦略は練られていなかった。それはオスマン側の動きに振り回され、受け身にしかなれず、常に遅れをとっていた」のであった。

オーストリア大公でクロアティア国王であったフェルディナントは、クロアティア＝スラヴォニア地域で軍部隊編成の改革と指揮系統の変更に取り掛かった。かつての部隊は、宮廷から給与を支給された。当時の部隊は、一五世紀から主に傭兵たち（イタリア人、ドイツ人、スペイン人）によって構成されるようになり、一五二〇年代にはすでに、国王は自らの部隊に支出を続ける事はむずかしいことに気づいていた。まずは財政上の不十分さから、国王は自分の常備軍部隊を維持できなくなったのである。

またその常備軍は作戦行動上も問題を抱えていた。そこで国王は、国境の要塞を自分の指揮下に置き始める。それは、オスマン軍勢の小規模攻勢に対応する上で、人員を集めて拠点をつくるためだった。要塞はそれ以外の戦術を考えても有利だった。要塞内の兵士は国王の指揮官に従属し、国境地域に成立しつつあった五〇〇〇人規模の正規、非正規部隊の核になった。

セゲド城の攻防戦と国境警備の強化

一五六八年まで、皇帝もしくは内オーストリア貴族たちに財政的に支援されたクロアティア＝スラヴォニア国境地域の軍勢が一人の指揮官に従属した。

一五五六年に、カリスマ的な男爵ウングナートがクロアティア＝スラヴォニア帝国軍指揮官の職を去る。それまでかれは、熱心にスラヴォニア国境の防衛強化に努めてきた。代わって、クロアティア国境におけるウングナートの副官で、ウングナートよりもさらにカリスマ性のあるイヴァン・レンコヴィチが、同指揮官に就任した。このレンコヴィチが、セーニの町から歩いて十分ほどの丘に外敵の侵入に備えるために、かの要塞ネハイを築き、主にドイツ人部隊を駐留させた。またレンコヴィチは理論と実践の両方に関心を持ち、詳細な報告文書を数多く作成した。とくに重要なのが一五六三年のクロアティア国境の要塞に関する報告である。この報告でかれは、理論的知識に従い、実地の見聞に裏付けられたかたちで、過剰になっているかまたは維持が難しいと思われる、キリスト教徒側の要塞を大胆に破棄するよう主張するが、これはクロアティア議会で強い反発を招いた。さらにレンコヴィチは多くのアイデアを実現しようとする。同じ六三年、内オーストリアの軍事評議会が大公フェルディナントの三人の枢密顧問から構成されることになる。かれらはクロアティア＝スラヴォニア国境地域の防衛条件と潜在能力について包括的な報告をまとめた。これら全ての動きは、オーストリア防衛に関する内オーストリア軍事評議会の発言権の増大と、クロアティア＝スラヴォニア国境地域の組織と防衛の強化に向けた第一歩になった。

この一五五〇年代から六〇年代にかけては、オスマンの攻撃とハプスブルク側の防御体制の整備が一進一退をくりかえす。そしてついに一五六六年、オスマン大帝スレイマン一世がおよそ一〇年ぶりに遠征に出た。オーストリア新皇帝マクシミリアン二世がハンガリーにあったオスマンの城を奪ったことへの報復だった。オスマンの軍勢はマクシミリアンの軍勢を押し返し、ハンガリー南西部の要所セゲド城を包囲するが、この城が落ちる直前にスレイマン大帝は死去する。その後オスマン側は大宰相のソコル・メフメト・パシャがセゲドを攻め落とすが、このとき城を守っていたのが大貴族ニコラ・ズリンスキである。ズリンスキが最後に城を出て突撃に出る様は英雄物語(オペラ)の名シーンとなり、そこで歌われた「ウ・ボイ」は日本でもいくつかの大学合唱団によって歌われている。

このセゲド城攻防戦のあと、一五七八年、ウィーンにあったものと同名の宮廷軍事局がグラーツに設置されることになった。そしてこの年、内オーストリアの貴族たちはムール川に面したブルックの町に集まり、国境を防衛するための資金調達について協議する。これは、一五七〇年代近世の世界全体にとって重要な転機の一つである。そしてこのブルックでの協議によって、内オーストリア貴族（やその子弟）に民政・軍事を問わず夥しい数の魅力的な官職が与えられ、あるいは国境民への食料供給によって大きな利益を得る道が開かれたのである。かれらは後方の安全地帯にいたので、直接財産権が危険にさらされることはなかった（もちろん多かれ少なかれ財政負担を負ったであろうが）。まだ内オーストリアの貴族たちはハプスブルク帝国全体の利害に目覚めてはおらず、帝国の一体性はまだ形成途上だったはずである。それでも対オスマン軍政国境の確立、つまりクロアティア＝オスマン国境地帯の軍政化が成立し、まがりなりにも国境の防衛システムが設立された。そして、このシステムの海との接点がセーニだったのである。

オスマン帝国領の内実

一方のオスマン帝国の内政はどうなっていたのだろうか。ここで、ハプスブルク帝国との長期戦争当時多くの人々が逃れだしたオスマン帝国の外政、内政の実情について俯瞰しておこう。

一五九三年、大宰相ソコル・メフメド・パシャ亡き後の勢力争いの中、主戦派軍人の主導によりオスマン帝国のハンガリーへの侵攻が開始される。オスマン帝国とハンガリーの双方が徴税を行う二重徴税区域があり、そこをめぐっていつ戦争になってもおかしくなかった。戦争は、トランシルヴァニアなどのオスマン属国が反旗を翻したため、またオーストリア側の軍事技術の革新が進んだため長引き、一六〇六年まで続く。結果はどちらが勝ったとも言い切れず、オーストリア軍の新しい軍事技術に追いついたオスマン帝国が、いったん失った領土も回復して終わった。当時西欧が導入しオーストリアも試みた新しい軍事技術とは、①イタリア式築城術、②鉄砲の改良と充実した歩兵隊、③火器中心の兵法である。これに対してオスマン側は精鋭部隊を増強し、また火器を操れる歩兵をアナトリアの農村から集めたりして、少なくとも②の課題は急速に解決した。①、③についても長足の進歩をとげたと言われる。しかし、かつての一六世紀のようなオスマン軍の圧倒的優位は崩れ、戦争による領土獲得の可能性は軍事的な理由で大きくせばめられたのである。

かつてオスマン軍は何度もヨーロッパに侵攻を試みたが、これもオスマンの拡張政策の一環であった。この拡張政策の根底にはその特殊な経済・社会構造があった。つまり征服した地域はすべてスルタンのものになり、スルタンがこの土地をティマールという一種の封土として戦功を収めた者に授けた。中にはこの土地を、オスマンが征服した地域の元の所有者がティマールとして得る場合があった。それは、元の所有者がイスラム教に改宗した場合である。改宗した元の所有者にティマールを与えるのもスルタンなので、このティマール制がオスマンによって征服された土地を中央から統制する手段にもなっていた。

一六世紀後半になると、このティマールという報酬の一つ一つが極めて重要になる。というのも当時ヨーロッパ全体で物価が高騰し、軍人や兵士への給与支払は重い負担になっていたからである。オスマン指導部にとって、新たなティマールを騎士層に授ける方が好ましく、それには新たな領土が必要だった。しかしハプスブルクとの長期戦争で新たな領土が獲得できなかったことは、一七世紀の初めの時点でオスマンの拡張政策が一旦止まったことを意味し、同国は軍事的のみならず、土地制度上も重大な危機に陥った。

オスマンの外政については、ヨーロッパとペルシアと、二つの境界での戦いが、同時に起こるのを避けるという方針があった。

そのうちペルシアにはスンニー派教徒よりもむしろシーア派が多く、イデオロギー的にはペルシアの方がオスマン帝国にとって危険な存在だった。オスマン兵が捕虜になった場合、ハプスブルク帝国でカトリックに改宗するよりも、ペルシアでシーア派に変わる方がずっとありそうなことだったからである。

それ以上に、オスマン帝国は、自分たちに対してハプスブルク帝国、教皇庁そしてペルシアが包囲網を整えようとしているのではないかという観念に囚われていた。実際は三者の交渉が実を結ぶことはなかったのだが、交渉した事実そのものはオスマン側に伝わっていた。この強迫観念がもたらした結果が長期戦争終盤に結ばれたハプスブルク帝国との講和条約である。オスマン帝国はペルシアと一五九〇年（ボスニアのハッサン・パシャがクロアティアのスィサク要塞を攻撃して敗北する前年）に講和条約を結んでいたのだが、一六〇三年に再びペルシアに攻撃されると、二正面戦争におびえてハプスブルク帝国との講和に向かったのである。

長期戦争が続いた一五九三年から一六〇六年まで、ハプスブルクとオスマンの間でにらみ合いがつづいた。実際に戦闘があってどちらかが勝利すれば明白だったのだが、どちらにも戦闘による勝利も敗北もなかった。結局このときにオスマン帝国ははじめてその拡張政策に限界がきたことを世界に示すことになった。だが、これはハプスブルクの軍事的優位もさることながら、一七世紀オスマン内部の危機に起因すると考えることができる。

オスマンから逃れた人々が多く加わったセーニのウスコクだが、かれらが首都コンスタンティノープルへの物資輸送を滞らせたり、オスマン臣民の家畜を盗んだり、役人などを人質にとったりしたことは、単にオスマン帝国の外政上の交渉手段として利用されただけだという見方がある。

実際、ウスコクがもたらした損害にたいしてオスマン当局はヴェネツィアのみに賠償を請求した。それは、ハプスブルク帝国がウスコクに関する責任を負わないという姿勢だったからだし、ヴェネツィアがアドリア海の制海権を主張していたからだ。

一方、もしウスコクがもたらした損害にたいして武力で対抗すれば、オスマンが敗北したレパントの海戦（一五七一年）のときのようなキリスト教同盟が再現される可能性もあった。これに対抗する国力は当時のオスマン帝国にはなかった。

要するにセーニのウスコクは、オスマン帝国がヴェネツィア共和国に外交的圧力をかけ、同帝国がヴェネツィア共和国とハプスブルク帝国を分断するための手段だったとみることもできる。またハプスブルク帝国もヴェネツィア共和国も、政治的にはオスマン帝国と手を組んで互いを威嚇するという選択肢をとらなかった。こうして三国のバランスは微妙に取れていたといえる。おそらく一六〇〇年頃までは。

第二節　流動するヴラーフ――半遊牧の人びと、最盛期ウスコクの中心を担う

さて、第一章でクルンポチャンといわれるヴラーフが一六〇五年に大挙してセーニにやってきたと述べたが、ヴラーフの移動はそれ以前から始まっており、ついに一五九〇年代から、ウスコクの中で大きな比重を占めるようになっていた。ヴラーフは、元来、バルカン半島で古代から羊などと暮らし、中世、夏は山、冬は海へと移動していた。バルカンの中世国家でも、オスマン帝国でも、移動や武装の自由と引き換えに物資を運搬したり、農民たちが払う税を免除された。一方オスマン帝国に当初は兵力（たとえば数世帯で兵士一人）を提供していた。それが武装した氏族集団の姿だった。しかしオスマンのヴラーフ政策が変更され、戦士から農民のように扱われると共に、多くのヴラーフはそれを特権の喪失と受け取った。そしてオスマン支配から逃れようとする動きが活発になる。自分たちの生活と精神文化とを守るためである。近年のオスマン史研究によれば、ヴラーフの中でも一部のエリートは土地を与えられるなど特権を与えられた。しかし、その数は次第に減少した。またハプスブルク側からオスマン側に移住するヴラーフもいたが、その数も限定的である。

オスマンの対ヴラーフ政策は、おおよそ三つの局面に分けられる。第一局面は一五世紀半ばから一六世紀始めの五〇～七〇年間で、ヴラーフは兵士に準じた地位にあった。続く第二局面は、一六世紀始め（一五二六年モハーチの戦いでの勝利）から一六二〇年頃まで、ヴラーフが非イスラム教徒の平民、レアヤーの地位に近くなる。それまでヴラーフが担ってきた軍事的役割が、農奴の賦

役と変わらない荷役や要塞の修復や食料運搬に変わる。そして一六二〇年ごろから第三局面に入り、ヴラーフとレアヤーとの区別がなくなるのである。つまり、イスラム教徒の正規兵によって防衛を強化するため、ヴラーフの方はいよいよ非武装化されたと考えられる。

ヴラーフとは

ヴラーフは今日クロアティアに住むセルビア人の祖といわれている。一六三〇年には、オスマン領から移住してきたヴラーフに土地・税制上の特権を認めた法規「ヴラーフの規約」（ヴァラジュディン管区のヴラーフに、軍務と引き換えに、クロアティア国王が特権を認めた文書）がクロアティアで公布されている。そこで、ヴラーフがオスマン支配下でどのように暮らし、それがある時期からオスマン支配から逃れていくのはなぜか、少し詳しく見ていきたい。ヴラーフをオスマン帝国から押し出した「プッシュ要因」を見ることになる。

まず、オスマン支配下のヴラーフの自己認識は一定ではなく、不明瞭でもある。それは正教徒とカトリック信徒とで異なり、正教徒はセルビア人という意識が強く、実際その多くがセルビア正教会に入っていた。一方、ブニェヴァツなどの名で呼ばれたカトリック教徒の遊牧民は、自己認識が作られるプロセスは緩慢で、また地方によって大きな差があった。

ここでは、バルカン的家族パターンを核とした一つの文化モデルに着目し、ヴラーフ集団をこうした文化モデルのために闘った集団と捉えていく。この家族パターンは父系血縁の重視や父方居住、先祖崇拝を特徴とする。それは個人よりも集団の優先、花嫁買いの慣習などからなる氏族社会の文化モデルを形づくった。そして、こう考えられる。ヴラーフにとって、バルカンの封建国家の政治はあくまで外部的な二次要因にすぎず、その家族パターンと文化モデルこそが肝要で、これらはほとんど変わらなかった。ところが一八世紀中葉、とりわけハプスブルク帝国支配下のクロアティアでヴラーフの文化的モデルにも一定の変化が見られたのであると。

ではさらに、こうした動き全体を、大よその時代区分と、それぞれの時期に関するオスマン側の史料に沿って見ていこう。

略図4　オスマン帝国のバルカン・オーストリア侵攻の「二つの」波

「第一の」波
一四五三年のコンスタンティノープル陥落＋一四五九年のセルビア征服＋一四六三年のボスニア征服
↓
「第二の」波
一五二六年のモハーチの戦い＋一五二九年のウィーン遠征＋一五六六年ウィーン再遠征
↓
長期戦争（一五九三―一六〇六年）に伴うヴラーフの移住

オスマン帝国のヴラーフ政策「三つの」局面

①一五世紀半ばから一六世紀初めの第一局面は、オスマンのバルカン侵攻の第一波と重なり、その間ヴラーフは兵士に準じた地位にあった。

略図5　オスマン帝国の対ヴラーフ政策「三つの」局面

局面	時期	ヴラーフの軍役（賦役）と地位	
第一局面	15世紀半ばから16世紀初め	兵士に準じた軍役	兵士
	↓		
第二局面	16世紀初めから1620年ころまで	農奴の賦役に準じた荷役など（16世紀半ば以降、牧畜民をヴラーフと呼んでいたのが、まもなく「バルカン的家族パターン」を営む人々をヴラーフと呼ぶようになった）	予備兵
	↓		
第三局面	1620年ころから18世紀まで	農奴と同じ賦役に	非武装化

初期オスマン帝国の台帳からすると、オスマン支配層はヴラーフを、古いバルカンの牧畜民を起源とする集団、と同時に戦時は頼りになる兵士とみなしていた。それを父系血縁が重視される氏族的な集団、好戦的・組織的な集団と認識していた。また極めて機動的な集団であり、居住する地域を変えながら分裂と再結合を何度も繰り返す集団とみなしていた。

②第二局面は一六世紀初めから一七世紀初めの一六二〇年ころまでで、ヴラーフは一般の平民レアヤーの地位に近くなる。この時期、ヴラーフの軍事的役割が、農奴の賦役に準じた荷役や要塞の修復や食料運搬に変わる。一六世紀最初の四半世紀までに、補助的な兵力にすぎないヴラーフを逐一召集することは避け、大半のヴラーフを予備兵あつかいにするようになる。

因みに、一六世紀半ば以降、牧畜民をヴラーフと呼んでいたのが、まもなく「バルカン的家族パターン」を営む人々を指すようになり、さらにはこのパターンに属さない人々も含めるところまで広がる。

③第三局面は、一六二〇年ころから後のことで、ヴラーフとレアヤーとの区別がなくなる時期である。一六二〇年ころ、専らイスラム教徒の（給与を支払われる）正規兵によって防衛を強化し

表1　ヴラーフの税負担の具体例

地域	時代	税負担
ヘルツェゴヴィナ	1530年	世帯税から人頭税、羊税、その他一般的な税の合計へ
ボスニア県	1542年	人頭税が廃止され、世帯税に戻された
ボスニア県	1550年	世帯税は一般的な税の合計より多い可能性
スリイェムと中部スラヴォニア	1555年、1581年	人頭税と世帯税の合計1ドゥカトで、人頭税の一家全体の合計よりも多かった
クリスとリカ両県	1580年頃	税と人頭税両方（＋戦闘義務）

ようとするため、ヴラーフは非武装化される。一八世紀には明らかにレアヤーとの区別がなくなる。

一八世紀（一七五九、一七九一年）ドゥブロヴニク後背地のヘルツェゴヴィナでは、実際はヴラーフと認識されていても、公式の法文書でヴラーフが（非キリスト教徒の）一般の民と記されている。

次にヴラーフの税負担について、現在の研究から分かることを組み合わせてみる。

ヘルツェゴヴィナの一五三〇年の租税台帳をみると、ヴラーフがレアヤーと同じ税を課せられている。これは税制の改革を避けながら税収の増大を図った大宰相イブラーヒム・パシャが、世帯税であるフィローリ税を止め、人頭税、羊税、その他一般的な税をヴラーフに課したことを指している。

一五四二年のボスニア県の租税台帳を見てみよう。すると、ヴラーフへの人頭税が廃止され、それ以前の負担に戻されたとある。ただしボスニア県の一五五〇年の台帳によると、再開されたヴラーフのフィローリ世帯税が一ドゥカトよりも多く、一五二八年の一般的な税の合計よりも多かったようである。

オスマン帝国のフィローリ税について、クロアティアの、ハンガリーに近いスリイェム地方と中部スラヴォニアを見てみると一ドゥカトで、人頭税の一家全体の合計よりも多かった。ここの税台帳（一五五五年、一五八一年）はすべてのキリスト教徒をただヴラーフと記載し、かれらに人頭税とフィローリ税の両方を払わせている。

一五八〇年頃、クリスとリカ両県のヴラーフに関する記述によると、かれらは、フィローリ税と人頭税両方をスパーヒーに支払うとともに、サンジャック・ベイの下で再び戦闘義務を負うことが記されている。

要するにヴラーフにとって、世帯税だけを負担した時期よりも、（人頭税だけか世帯税と人頭税の組み合わせにしろ）税額は次第に増えている。しかもこれは、一五八〇年ころのクリス県とリカ県を除けば、兵士としての特権を失うことと表裏一体をなしている。

クロアティアおよびスラヴォニア国境地域のヴラーフ

さて、前にも述べたように、当時ハンガリーは一部がハプスブルク領になり、スラヴォニアもハプスブルクが直轄する軍政国境だった。そして（ザグレブを中心とした狭義の）クロアティアの国境、またスラヴォニアのオスマンとの国境では、一六・七世紀に、バルカン半島内部からハンガリー王国およびオーストリアに向けて、人々が大規模に移動してきた。ここで、とくにヴラーフがハンガリー王国やオーストリアに移っていく様子を具体的に見ながら、ヴラーフをハプスブルク側へ引っ張った「プル要因」を探ってみよう。

様々な史料から分かること

史料の中でも当時の税台帳から、まずはヴラーフに限らず兵士全体について、次のようなことが分かる。一五九八年、スラヴォニア地域には、一一、五〇〇軒の家があり、またスラヴォニアの国境地域だけで八、〇〇〇人の兵士がいた（これには俸給ありとなしの双方が含まれる）。ここから、ハプスブルク統治下のスラヴォニア人口の間では兵士の比率が非常に高かったことが分かる。

クロアティア＝スラヴォニアの国境地域は、この時期を通じて国境の小競り合いと略奪とで絶えず疲弊していた。そのため、人々はオスマン帝国の辺境地域に住んで農業を営むことや、牛などを飼育したりすることができず、他所の略奪に手を染めるか、地元を離れることを余儀なくされた。こうした中、王国全体もだが、国境地域は絶えず人口が減少していた。なかでもそれが顕著だったのが、クリジェヴツィ県と、クーパ川のクロアティア側の地域であった。元の住民は衝突の多い地域から退去していった。そこへやって来た移民や難民の一部は、ハプスブルク帝国の軍隊に入り、長期間あるいは短期間、国境地域に留まった。数十年のあいだに、新参者たちのある部分は、残っていた地元の人たちと同化し、他の部分は、この集団が軍役の代償として得た土地や特権を守るために、この地に共に移って来た仲間と集団内の絆を固く守った。

次に、軍事予算からの給与支払いを兵員名簿と一緒に見ると、有給兵士や将校などの地位ごとの給料が分かる。

これらのデータは、一五五〇年代から同九〇年代まで、実質的には変わっていない。兵卒の給与は装備の違いによって違う。また指揮官の給与も同様である。一グルデンを八〇ディナールとすれば、歩兵は月に約二四〇ディナールを受け取ったことになる。因みに、当時の税額や労賃、物価を見てみよう。ディカというクロアティア＝スラヴォニア地域の税は、ある基準面積の土地に一〇〇ディナールが課せられ、有事の際などには年二五〇ディナールにまで達した。一般の労賃は、一五五〇年代から九〇年代まで日給八～一二ディナール、手工業の職人は一五九〇年代に一日最高二五ディナールだった。また一五七八年の物価は、ワイン約三リットルが首都のザグレブで五～六ディナール、仔牛一頭の市場価格は七〇～七六ディナール、乾燥タコは一かたまりが一〇〇ディナールだった。以上から、一般の兵員の給与で、もしきちんと受け取っていたとしたら、必要な生活費をまかない、さらにいくらかの貯えもできたと考えられる。国境地帯で有給兵になることは魅力的なことだったのである。加えて略奪やその他の臨時収入を目論んでいたなら、なおさらそうだった。最大の問題は、軍隊の食料品価格が高すぎたことであった。

しかしながら、そもそもその給与は遅配が常態であった。よく語られることだが、一六世紀には年に数ケ月しか給与を受け取ることができなかったのである。

一五七七年と一五七八年、軍政国境制度の本格化に関わる重要な決定が行われた。一五七七年にはウィーン会議が開かれハプスブルク家の継承地域の代表が集まり、また最初の兵員名簿が作られる。そして翌七八年ブルック（・アン・デア・ムール）で開かれた会議で、内オーストリアの貴族たちが、軍政国境の財政分担を定め、兵士を増員し、その大半を各要塞に配置した。こうして兵士の数が安定した要塞が大幅に増加する。またそれらの監督・指示の効率化のため、兵士は各隊長区に配属されることになる。この年一五七八年までには、永続的な組織が国境地域に新たに発足する。

それでも、後年の資料からすると、一五七八年の予算に計上された増兵は実際にはほとんど行われず、辛うじて一五七七年のレベルを上回る程度にとどまった。これは主に予算不足に因るものであった。

国境兵の数の推移はこうなる。一五七七年＝二〇三八人、一五七八年＝二八四〇人、一六三〇年＝一七〇三人。二回目の兵員名簿は一六三〇年に作成されるが、一六三〇年代迄には有給兵士の数は回復不可能なレベルにまで減少したのである。この減少は無給兵士あるいは農民兵の増加と対をなすのだが、無給兵士は大半がオスマン領から到来したと考えられる。また、クロアティア＝スラヴォニア地域の各領地から離脱した農奴が入隊した可能性も高い。

各種の資料を見る限り、一六～一七世紀の国境では俸給を受ける者より俸給を受けない者の方がはるかに多い。また、一八世紀までは俸給を受けない部隊が国境地域で徴用された形跡は無さそうだ。例えばクロアティアとスラヴォニア両地域には、（場所と時期にもよるが）それぞれにおよそ一七〇〇～三〇〇〇の有給兵士がいたが、かれらは徴兵された有給兵士だった。しかし、夫々の国境には六〇〇〇～七〇〇〇の無給兵士もおり、かれらは一八世紀までは徴兵された兵士ではなかった。因みに「ヴラーフの規約」（一六三〇年）によると、およそ六〇〇〇～七〇〇〇のヴラーフが国境地域でいつでも武器を取れる状態にあり、ハプスブルク王家の無給兵士として従軍する用意はできていた。

国境兵士がなぜ有給だったか、あるいは無給だったかについては、次のように推察できる。中世、軍役は貴族が重騎兵として戦うことを基本としていた。それが一六世紀の間に、ハプスブルグ家あるいは内オーストリア貴族の方針により、兵士は主に金目当ての傭兵に変わっていった。傭兵や有給の兵士は外部地域（スラヴ人諸国、ドイツ、イタリア、ハンガリーその他）からやって来て、その人数は当初の一五五〇年代から一五八〇年代までは増加し続けるものの、一五九〇年代から減少し、反対に無給兵士が増加する。

クロアティア＝スラヴォニアの大領主、特にザグレブ主教とザグレブ聖堂参事会は、この期間、出来るだけ多くの住民を労働のため、かつ領土保全のため自らの領地に集めようとした。一方軍司令官（その大半が内オーストリア出身者だった）は、軍事的な目的のため、やはり住民を集めようとする。いずれも、個々人或いは各種のグループをオスマン帝国からハプスブルク側に移動させ、国境地域に定住させようとしたのである。

一方、地方貴族は、一六世紀中、紛争や略奪にさらされ、領民が自らの領地から離散する事もよくあった。軍当局はこうして出来た荒地を新規の入植者に、軍役の代償として与えた。正式な持主がいた土地を、こうした離散の後は勝手に処理する事もしばしばあったようだ。そして新たに入植した人々が無給兵士、農民兵士の層を構成した。農民兵士としての特権を与えられた者が、他の農奴を貴族領地から出て軍役に就くように誘った可能性もある。何れにせよ、地方貴族と軍当局の間の土地をめぐる争い、そして新規入植者と領主を失った農奴の対立は不可避であり、絶えず争いが見受けられた。

一五八〇年代に大きなヴラーフのグループをオスマン帝国領域からハプスブルク側の国境に組織的に移動させようとする交渉が始まる。すると、クロアティアとスラヴォニアの両国境地域における人の移入は一層エスカレートする。そして一五七七年の名簿とこの時期の軍事関連資料には、明らかにヴラーフとみられる姓名が確認できるのである。ただし、この年代の文書ではヴラーフという言葉を公式な用語として用いる事はまずない。ヴラーフは、スラヴォニア国境のハプスブルグ側では法で定めた構成員としては余りに少数だった（かれらの多くは歩兵隊、騎馬隊の指揮官だった）。一五九〇年代になると、いよいよ大規模なグループ（数十から数百の家族）のヴラーフと呼ばれる新規参入者がハプスブルク側の国境地帯に到着する（多くが家族単位で）。

＊一六・七世紀ヴラーフ移住の動き

一五七〇年代後半　オスマン帝国、バルカンの後背地の正教徒ヴラーフをリカ地方の荒地に定住させ始める

一五七七年　スラヴォニアの兵員名簿に、ヴラーフとみられる歩兵隊指揮官たちが記録されている。ただし個々のヴラーフ集団は小規模。

一五八〇年代　大きなヴラーフ集団をオスマン帝国領域からハプスブルク側の国境に移動させようとする交渉が始まる

（一五八八年　セーニの兵士台帳、オスマン帝国を逃れて来た新兵の急増を示す）

一五九〇年代　大きなヴラーフ集団（数十から数百の家族）がハプスブルク側の国境地帯に到着する

（一五九三年　長期戦争の開始）

一五九七年　内オーストリアのフェルディナント大公は、同年二月二六日の布告で、あらゆる租税と賦役の免除を、軍務と引き換えに、ヴラーフたちに確約した

（一五九八・九年　ヴェネツィア大規模な海上封鎖）

（ラバッタによる監視強化の結果、一六〇一年の時点でウスコクの数は半減した）

一六〇五年　七〇〇人のヴラーフの大集団がセーニにやってきた。またゴルスキ・コタル地方のズリンスキ家の所領リチ地域にカトリック系のヴラーフがやってきて、クルンポチャンという名の集落を作った

（一六〇八年　ウスコクのヴェネツィア船襲撃）

一六三〇年　兵員名簿がスラヴォニアとくに国境にヴラーフが組織的に流入してきたことを示す

「ヴラーフの規約」によりヴラーフの受け入れ体制が確立

セーニ・ウスコクのヴラーフについては後で述べることにして、さらにその先を見ておこう。一六三〇年迄にはこれらの家族は整然と定住していく。そしてこの経緯は、「ヴラーフの規約」がかれらの特典を認めることで完結するのである。K・カーザー（オーストリア、グラーツ大学のバルカン史研究者）が指摘したように、かれらの中には独身のヴラーフもいたが、六〇〇〇〜七〇〇〇の無給兵士の大半が家族持ちだったと考えられる。これら家族の男子は軍当局に雇用されるが、それは二種類の資格に分けられた。一つは、個人として兵士の俸給を受ける者、もう一つは

軍務の報酬として土地を与えられた者で、後者の場合は、家族の代表として軍務に就いた。

こうして一六三〇年、ヴァラジュディン管区のヴラーフは僅かながら土地を与えられ、法的自治権（刑事、民事）、地方裁判権を与えられ、特別な階層として認知されたのである。

兵員名簿の中のヴラーフ――移民・難民をどう読み取るか

今日の研究に拠れば、兵員名簿の姓名を見れば、それが地元クロアティア＝スラヴォニアのカイ方言で出来た姓名か、（よそから来た）新参のシュト方言の姓名かに分類することができる。そして状況や兵士の出身地とりわけ姓名から、ヴラーフの兵士かどうかが分かるのである。

①ドイツ人の指揮官、騎兵隊、また歩兵隊の指揮官について

「ドイツ人（オーストリアの）」はほぼ全ての主要なクロアティア＝スラヴォニア国境の軍事・行政職に任命された。最高ランクの将校の月給は四〇〇グルデンに達した。ちょっとした資産である。とくに皇帝軍の司令官と副官は、ほとんどがドイツ人貴族だった。ドイツ人将校は任務に忠実で、公用語を解し、管理業務に通じていた。さらにクロアティア＝スラヴォニア語あるいはハンガリー語も解るとすれば、オーストリア宮廷がグラーツに宮廷軍事局を設置した一五七八年以降各地に開設された軍政国境当局にとっては、うってつけの人材だった。

要塞司令官レベルについてみると、クロアティア人とドイツ人の比率は一五七〇年に一対二であり、ドイツ人の方が多かった。ウィーンとグラーツの国境監督官庁は、明らかに身内の人間を国境

軍将校にしようとしていた。こうした政策は、何も防衛業務や、オーストリア本国が国境につぎ込んでいた莫大な予算をコントロールするためだけではなかった。支配者階級、とくに貴族の子弟の就職先を用意するためでもあったのだ。オーストリア本国の貴族らは、国境地域に用意されたポストを意識しており、こうしたポストについて互いに調整もしていた。またドイツ人は郵便という儲けの多い仕事に就いたり、武具師、軍事的な技術者としても働いていた。この技術者たちを、内オーストリアの貴族たちは国境地域の優秀な部隊に雇い入れようとした。「ドイツ人兵士」、銃士、ドイツ人重騎兵などである。こうして一五七七・七八年のスラヴォニア国境の有給兵士約二〇〇〇～二八〇〇人のうち、二四〇〇～四〇〇〇人はドイツ人部隊に配属されていた。一六三〇年には四〇五人の「ドイツ人兵士」がいた。

それでも一六三〇年には多くのスラヴ系の名がこうした部隊に含まれるようになる。

騎兵隊のレベルについてみると、一五七七年と一六三〇年の間に大きな変化が起こった。クロアティア人、スラヴォニア人の大貴族や貴族に率いられる騎兵隊が給与台帳から消えたのだ。一五七七年には当地の大貴族は隊員五〇からなる騎兵隊を指揮しており、そこには新参者も地元民も（いずれも貴族出身者が多い）含まれた。この騎兵隊は、中世の貴族騎兵の名残というかたちで雇われていたのだが、騎兵は歩兵より高くつき、しかも軍事技術や戦術が近代化すると、満足な成果を上げられなくなった。一方内オーストリアの貴族やハプスブルク家は、一五七〇年代以降、近代化の促進によって国境での軍事的な優位を確保しようと努めていた。結局一六三〇年には現地の騎兵は存在しなくなる。かれらにしてみれば、何かにつけて競合する地元貴族を上手く切り捨てることができたことになる。一六三〇年も若干の騎兵は残存したが、それはドイツ人かハプスブルク家に忠実な者に限られた。

さて歩兵だが、かれらは兵士の中でも最も給与が少なく、最も数が多かった。一五七七年には一五〇〇、一六三〇年には九四〇の歩兵が給与を受けている。その多くはスラヴ系の姓名（イヴァン・ヴェリキやコブレン・ノヴァコヴィチなど）だった。一方ハンガリー系の名（マーチャーシュ）が、歩兵部隊の指揮官の中に見られることもあった。

スラヴ系の姓名の歩兵は数が多く、当時のスラヴォニア国境での有給兵士の半分以上はスラヴ系の歩兵だったと推定される。ただ歩兵あるいはその指揮官の中においても、地元のスラヴォニア系とは違う姓が多いことが解る。一五七七年の歩兵隊長二五名中七名（ラドミロヴィチなど）、一六三〇年の歩兵隊長三五名中一三名（ヴォグダノヴィチなど）がシュト方言独特の姓を名乗っていた。彼らはオスマン・スラヴォニア国境、クロアティアの国境地帯や被征服地域、またはバルカン奥地の出身と考えられる。

今度は一五七七年における一つの，大きめの歩兵部隊に焦点を当てて人びとがどこから来たかを再現してみよう。そこには八〇人の歩兵がおり、それがさらに三つのグループに分けられた。

第一グループは、それぞれの歩兵の姓からスラヴォニア国境のハプスブルク側（コプリヴニツァはそうした地域の都市である）から来たと思われる。このグループは一五七七年の時点で最も数が多かったようだ。しかし第二グループを見ると、一五三〇年代と一五五〇年代にオスマンに征服されたスラヴォニア東部及び一五八〇年代に征服されたクロアティア中部（ポジェガその他）から、新たにやってきた者が多かったことが分かる。このグループは想定以上に人数が多く、大いに注目に値する。そして第三のグループは、これまでの二つのグループに分類できなかった「その他」にあたる。

たしかに一五七七年の兵員名簿から、この年にスラヴォニア国境へ流入してきたヴラーフの厳密な地域分布を言うのは不可能である。当時、かれらはほとんど個人あるいは小集団でたどり着き、兵員名簿からわかる範囲で言うと、既存の部隊の中に散らばっていたからである。だが、一つ言えることは、今までクロアティアの歴史研究で言われてきたのとは逆に、国境を越えたヴラーフの組織化以前には、彼らはスラヴォニア国境における非カイ方言の姓を持つ、とても有力で、数も多い歩兵隊指揮官たちであったということだ。

②兵員名簿から読み取れるヴラーフの分布

一五七七年の名簿には、多数の兵士が姓なしで記録されている。姓の代わりに出身地が記されている。たとえば一五七七年のある歩兵隊名簿を見ると、チャコヴェツあるいはヴァラジュディン（いずれもハンガリーに近い都市）出身であることが分かる。一五七七年のリストに挙がった一七八九名のうち七二七名が姓のかわりに出身地を示し、さらに九三名がクロアティア出身、あるいは言い換えるとクーパ川の向こうの出身であることを示すホルヴァート（クロアティア人という意味）という姓を名乗っていた。

状況は一六三〇年に変わった。一二八〇名のほとんどが姓を持ち、姓の代わりに出身地を示すことば（オドやイズ、つまり「～から」）を持つ者がわずか一四三名しかおらず、それもほぼ確実に地元の出身者だった。もっと遠くから来たことを示す姓ホルヴァートあるいはその派生形を持つ者はたった二一名しかいなかった。

固有の姓の代わりに民族名あるいは地名が用いられていたことは、クロアティア＝スラヴォニア国境の衝突が多い地帯や被征服地から逃げてきてスラヴォニア国境で勤務する兵士の、地域分布や移動性を知ろうとするには好都合だが、そもそも、なぜこんなにたくさんの人たちが、固有の姓なしで兵員名簿に記録されているのかは、必ずしも明らかではない。その理由として一つ目に考えられる点は、逃亡した農奴がそれぞれの主人から隠れようとする方策だったのかもしれない、ということ。二つ目は、一六世紀においては、姓の使用はスラヴォニアのこの地方ではまだ一般的でなかった可能性がある、ということ。ただ、税の徴収を見る限り、スラヴォニア諸地方の課税対象者の多くは固有の姓を持っていた。三つ目には、兵士自身は人員検査の場におらず、姓が人づてにしか伝達されなかったという可能性があるということだが、しかしこれも、人員点検の厳しさからすると考えにくいと思われる。

ではいよいよ固有の名前や姓について見てみよう。

一五七七年の名簿を見ると、多くの兵士の名前は新約聖書に由来するものだった。例えば、ジョルジュ、ペーテル、マルコ、マーチャーシュ、イヴァン、スチェパンなど。一方一五七七年には「ヴーク（狼）」という名から来る姓名が非常に少なく、また「ラド（喜び）」ということばから来るラドヴァン、ラドイェ、ラドミル、オブラド、プレラドなどやそれらの派生形もわずかしかない。

対照的に一六三〇年には、古い、ヴークからの派生形である名（ヴコサヴ、ヴカシン、ヴコイェ、ヴチッチ、ヴチュコ、ヴクミル、ヴコヴォイ、ヴイツァ、ヴインなど）やヴークから派生した姓（ヴコヴィチ、ヴクサノヴィチ、ヴチン、ヴチッチなど）そして次のような名、つまりラドヴァンやラドミル、ラドイェ、オブラド、プレラド、コムリェン、グヴォズダン、ラレタ、ラウシャ、ボグダン、オストヤ、サヴァ、そして以上から派生したヴラーフの姓が、名簿に非常に多く見られた。（ただ歩兵隊によっては、新約聖書の名も見られた）。

一五七七年には、スラヴォニア以外から、とくにクロアティア＝スラヴォニアのオスマンによる征服地帯からの出身者が、数多く名簿に現れる。かれらは新約聖書からの名を持つ一方、その多くは固有の姓を持たないか、あるいは全く姓を提示していない。

一六三〇年には新約聖書からで、かつシュト方言の名を持つ個人が、クロアティア＝スラヴォニアの被征服地域から流入し続けた。また一六三〇年には、いわゆるヴラーフの大小の集団がバルカン奥地からスラヴォニアの国境へやってきた。それは、遠いリム河流域（ヘルツェゴヴィナ）から発した数多くの移住が、数十年続いたのちにやってきたものだった。一六三〇年のスラヴォニア国境のいくつかの部隊は、完全にそうしたヴラーフ移民のみで構成されていた。かれらは、ほとんど例外なく、固有の姓をもっていたが、かれらの姓も名も新約聖書からのものではなく、もっと古い背景を持っていたのである。

一六三〇年の名簿から、スラヴォニア国境の新入人口の地域分布を地図4のように再構成することができる。実証の詳細は省くが、結論は以下のとおりである

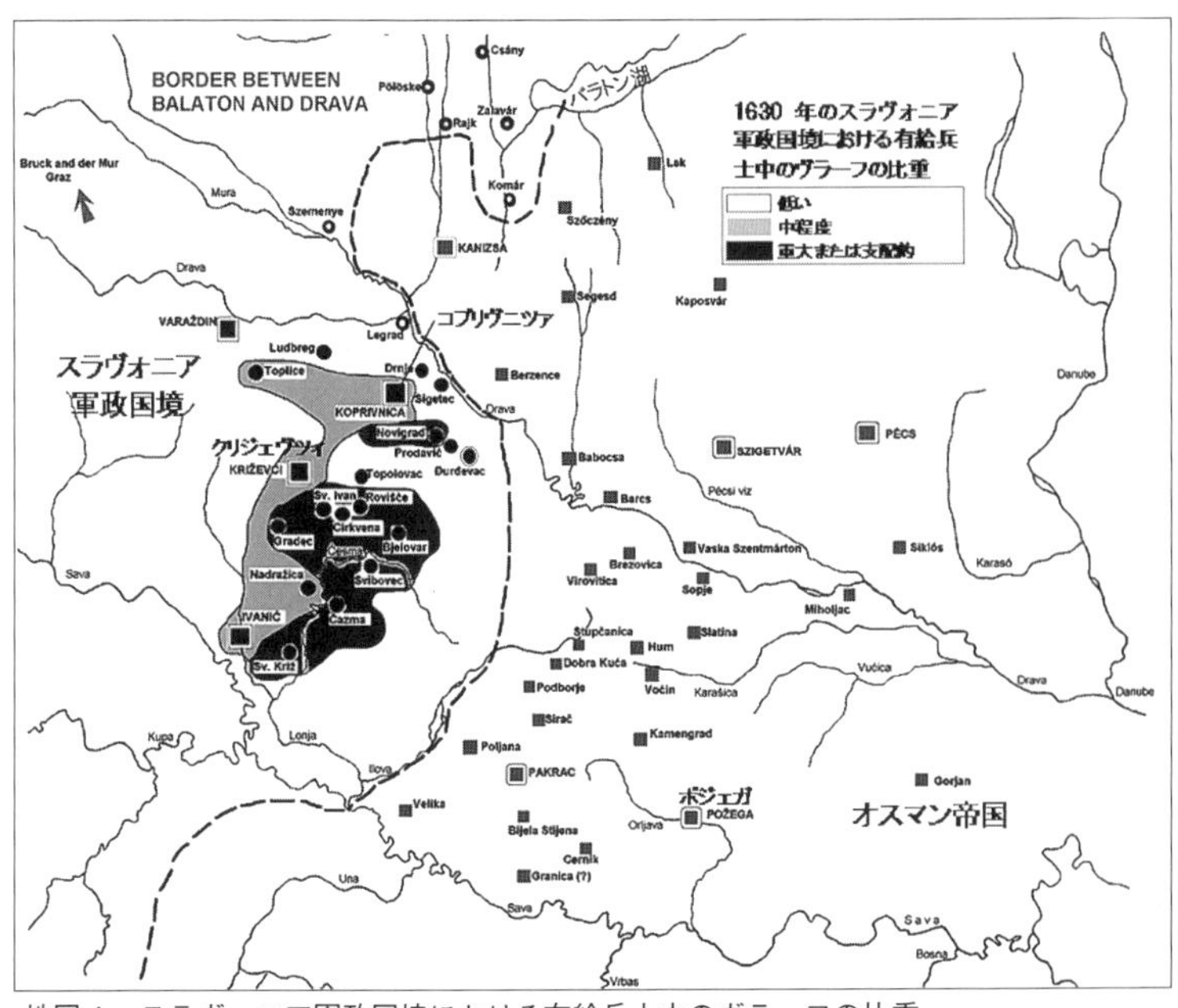

地図４　スラヴァニア軍政国境における有給兵士中のヴラーフの比重

濃い色は新人のヴラーフの人口密度が高いところを指す。かれらはスラヴォニアの全域に、均一に分布していた訳ではない。新参者はほとんどが国境にいた。その内比較的多くはクリジェヴツィ隊長区におり、コプリヴニツァ隊長区にはそれほどいなかった。理由はいくつか考えられるが、その一つはクリジェヴツィ地域の所領がたたかいで荒廃していたのに比べ、コプリヴニツァの所領は戦いの間も維持されていたということ。後者は新たな住民を迎える必要が少なかったのである。ただそのコプリヴニツァ地域でさえ、ノヴィグラードなどのいくつかのエリアではヴラーフが広く分布していたことが分かる。この土地は軍政下にあったので、ヴラーフは必要さえあれば定住できたのである。

最後になるが、クロアティア史研究においては、信頼できるデータがなかったため、ヴラーフは主要都市には定住していなかったと長らく考えられていた。しかしここまで見てきた兵員名簿はその点を一部で否定している。イヴァニッチ、コプリヴニツァ、クリジェヴツィといった主要都市の歩兵隊、そして騎兵隊の間ですら、ヴラーフの存在は、一五七七年より一六三〇年の方がより鮮明になっている。


ヴラーフ、スラヴォニアからクロアティアへ

一五九〇年代には、ヴラーフ家族の大規模な移住が、国境のオスマン側からスラヴォニア側へ起きた。これについては詳細な統計調査がある。また少し遅れて、クロアティア側へ向けてヴラーフの移住が起きた。これらは、オスマン帝国の対ヴラーフ政策の第二局面の終わりから第三局面のはじめの時期に起きた、一連の流れと考えられる。

スラヴォニアのヴラーフは荒廃地域のまさに完全に荒廃した所領に入植し、君主から多くの特権を得た（君主は移住がいかに有益か見せようとした）。かれらには自治権が与えられ、すべての貢納が免除され、何より領主の支配を受けず、君主に直接従属した。これは、事実上君主による領主からの所領没収を意味した。法の上で領主は土地所有者であり続けたが、介入の権限をもたず、（特権をもった）ヴラーフによって占有された所領からの利益も得られなかった。領主たちが危険を察知し、ヴラーフや他の家族を自らの荒廃した所領に住まわせようとしたときは、時すでに遅

かった。完全に荒廃した地域の大部分は、すでに領主たちの手から奪われていたのである。ただ、このようなことが起きたのはスラヴォニアだけで、クロアティア国境では起きなかった。それはなぜだろうか。クロアティアへのヴラーフの流入はスラヴォニアからそれほど遅れたわけではなかったにもかかわらずである。

スラヴォニアにおいては、オスマン帝国との国境は一六世紀中ごろから安定しており、国境が定まっていた。そして、完全な荒廃地は、ヴラーフ流入の時期にはすでに半世紀も耕されておらずほぼ無人だった。反対にクロアティアにおいては、オスマン帝国との国境は、一六世紀後半を通じてクーパ川に向かって移動していた。一六〇〇年ごろからのクロアティアにおけるヴラーフ流入の際には、ヴラーフをクーパ川近辺に住まわせなければならなかった。この地域ではまだ領主がある程度旧来の地位を保っていたので、軍司令官は、領主たちと、入植の進め方について話し合った。入植者には、たしかに特権が認められたが、スラヴォニアと違って領主の支配を免れていたわけではなかった。こうしてクロアティアにおいては、①完全には荒廃していない地にヴラーフ入植者が住まわされたこと、また②入植者の数が比較的少なかったこと、そしておそらく③ズリンスキ家とフランコパン家といった貴族勢力が強大だったことが、入植にもとづく新しい社会秩序の形成にとって妨げになったのである。

一六〇〇年前後のヴラーフ流入にたいするクロアティア側の対応の遅れもまた、セーニとその周辺へのヴラーフ流入を招いたと考えられる。

第三節　難民から海賊へ

一六〇〇年前後は、後述するように、セーニでウスコクになった人びとの数が限られている。一方、一六〇〇年代の初め、ウスコクの中でヴラーフの襲撃が大きな比重を占め、そのことが過激な略奪行為やヴェネツィアへの報復に関係したとも考えられる。

そこで、一六世紀から一七世紀の滅亡まで、セーニの海賊ウスコクがどのような人たちだったかを俯瞰しておこう。まずはかれらにたいする給与支払いの台帳から、中でも名前などからどこから来たかが分かる人たちをピックアップして、セーニ・ウスコクの構成の推移を見ていく。

一五五一年までは同じハプスブルク領から

ハプスブルク帝国は、（オスマン帝国との）一五四七年からの休戦により兵員の縮小を試みるが、それでもセーニに新たな兵士たちが流入した。一五五一年の給与台帳を見ても、新たに兵となる人々が大量にセーニへ流入している。台帳の名前からとくに出身地が分かる家族を選び出すと、一五五一年に移住してきた者の大半がハプスブルク領の出身だった。

一五五〇年代、六〇年代は様々な国から

それが一五五〇年代の終わりから一五六〇年代にかけてオスマン臣民やヴェネツィア領民の数が

増え始める。

　この頃からウスコクは、難民をさすことばから罪人や流民を合わせて略奪者を意味することばになったと言われる。

　一五七〇年代になってもオスマン軍のクーパ川からウーナ川一帯での襲撃はおさまらず、一方略奪者の町セーニの名はますます知れ渡ることになる。当時のヴェネツィア使節によればハプスブルクからだけでなく、「自分のくにを逃れ、セーニで暮らすことになったオスマン臣民でウスコクと呼ばれる難民、さらにはアンコーナなどの諸都市から追放された人々、また、あらゆる島々や近隣の町々からの亡命者、ガレー船からの脱走者といった人々で邪悪な男たちのガイドや指導者として働く多くの人びと」がセーニで「新兵」になっていた。

一五七〇年代以降オスマン領から

　一五七〇年代も八〇年代もセーニへの移住は続く。ただこの頃、新兵の主な出身地が変わり始めるのである。オスマン兵のクロアティア領内への襲撃は続いていたのだが、ハプスブルク領からやってくる新兵の数は大幅に減る。先ほど述べたように、一五七八年に軍政国境の警備が本格化され、指揮官系統も確保され、要塞網も整備されると、こちらで「新兵」になれたため、セーニまで流れてくる必要がなくなった。それに代わって海岸沿いの山岳地帯で、いくつかの重要な港町の後背地にあたるようなオスマン領地から流れてくる人たちが増えた。これらの領地は一五七〇年から一五七三年にヴェネツィアとオスマン帝国が戦争をした際に荒らされ、多くのオスマン臣民がヴェネツィアの兵になり、そして動員が解かれた後も元の生活に戻れずに結局はセーニにたどり着いた。また一五八〇年代にクリス要塞の奪還を試みた軍勢に加わり、この奪還が失敗に終わってからセーニにやってきた人たちも多い。一五八八年ごろには、セーニのウスコクの九割方はオスマン領出身といわれるまでになった。

一方海岸のヴェネツィア領から流れてきた人も多くいた。そういう人たちは罪人であったり、ウスコクになって略奪に加わろうとするものだったりした。ウスコクが海路遠征に出るとき、こういった人々が、少なくとも当初は、航海技術を発揮した可能性がある。

一五九〇年代オスマン帝国からのウスコクが急増

一五九〇年代セーニの町は海沿いのオスマン領山地からやってくる移民の波に飲み込まれた。こうした山地を飢饉が襲ったのである。オスマン帝国は食料を海岸に輸出することを禁止する。そしてハプスブルク帝国とオスマン帝国のいわゆる長期戦争が始まる。一五九二年にオスマン軍は、セーニの制圧を望んでクロアティアに侵攻した。ボスニアの軍政官テッリ・ハサン・パシャは、いくつかのウスコク集落で住民を殺し、奴隷にしたといわれる。そして長期戦争の火ぶたが切って落とされた。その後、ヴェネツィアのダルマティア総督ベンボーはトリエステとリイェカを海上封鎖した。そのため、海賊たちは手持ちの略奪品を売らざるをえない状態になる。

一五九六年、長期戦争の最中にクリス要塞の奪還が企てられる。当時セーニの人口は四五〇〇人ほど、そこに一〇〇〇人のウスコクがいたと言われる。

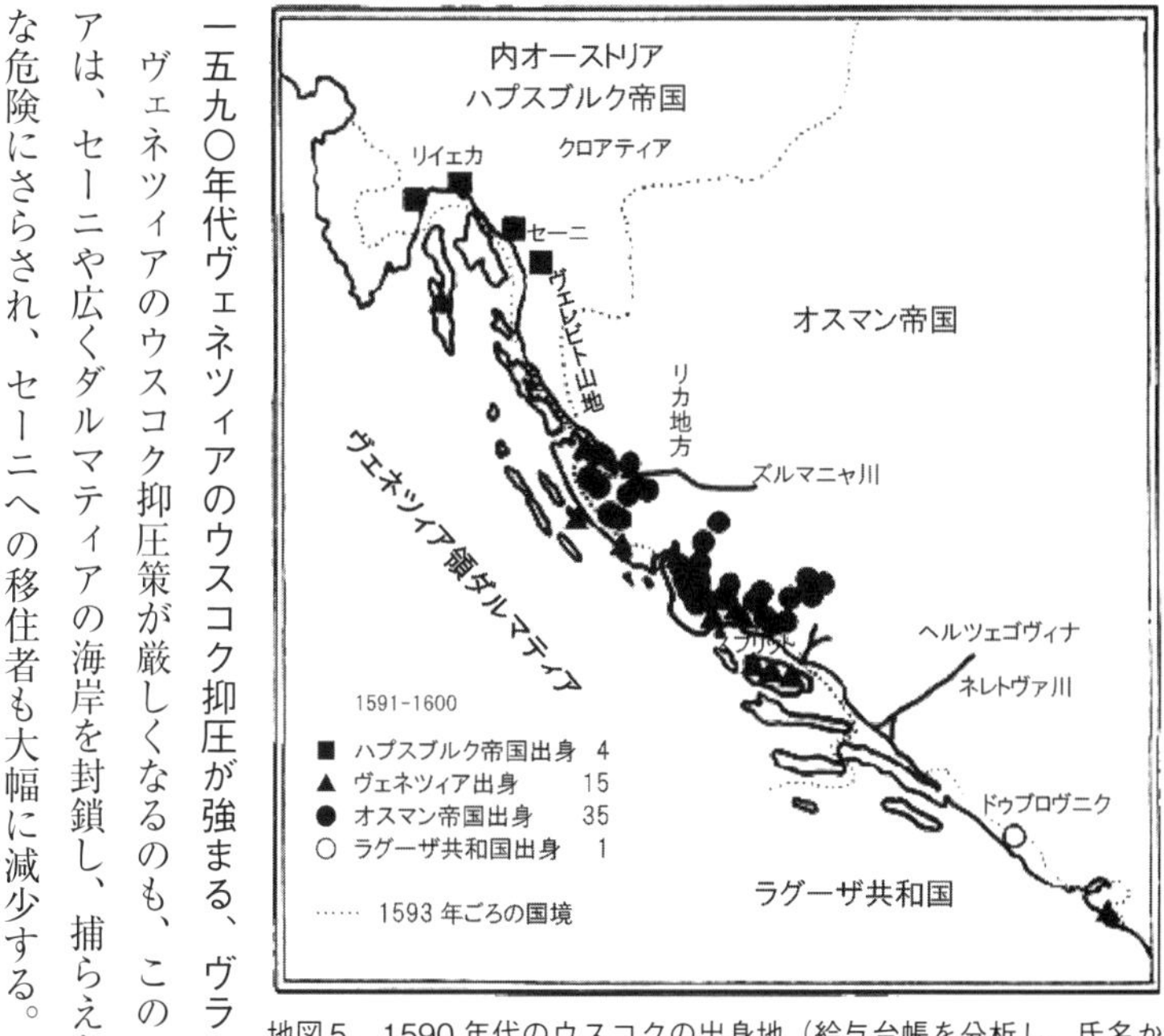

地図5、1590年代のウスコクの出身地（給与台帳を分析し、氏名から出身地が分かる人たちをピックアップしていく。出身地が分かる割合は、1530年から1620年までの838家族中261）

ただ、この頃多くの移入者があったと同時に、略奪の中で命を落とす者、セーニから出て行く者も多く見られた。セーニの北にあるズリンスキやフランコパンといった大貴族の領地へ土地を求めて移る者も現れた。不定期な給与支払い、乏しい貯えはセーニにいることの魅力を大きく損なわせた。実際ウスコクの中には食糧を手にできず、財産を処分してセーニを脱出した例が文書に記されている。

一五九〇年代ヴェネツィアのウスコク抑圧が強まる、ヴラーフの移住が始まる

ヴェネツィアのウスコク抑圧策が厳しくなるのも、この一五九〇年代のことである。ヴェネツィアは、セーニや広くダルマティアの海岸を封鎖し、捕らえたウスコクを処刑する。ウスコクは大きな危険にさらされ、セーニへの移住者も大幅に減少する。とくに一五九八・九年の海上封鎖につい

ては、物資が不足したにもかかわらず、ウスコクの略奪機会もめっきり減った。

この頃、内オーストリアの領邦君主フェルディナント大公（前出の後のフェルディナント二世）は、一五九七年二月二六日の布告で、あらゆる租税と賦役の免除を、軍務に服することと引き換えに、（すでに移住してきた、またこれから移住してくる）ヴラーフたちに確約した。

一方、ヴェネツィアはと言えば、ついにハプスブルク帝国と、ウスコクによる略奪を終わらせるべく協定を結ぶ。そして内オーストリアからの使節ヨゼフ・デ・ラバッタ伯爵は、セーニ隊長区にウスコクの撲滅を命じ、その実施についてヴェネツィアと協議するために自ら弁務官になった。ラバッタは厳重な警護の下、一六〇〇年、セーニに到着し、かなり精力的に動いた。だがかれは残忍でもあった。多くのウスコクが処刑されるか、対オスマンの前線に遣られた。かれの政策がヴェネツィア寄りであることは明らかだった。

かれは、まもなく軍部からの支持を失い、一六〇二年にはウスコクたちの反逆に遭って殺害される。セーニは元の状態に戻り、逃げていたウスコクたちも再び海賊活動に戻った。

それでも、ヴェネツィアのウスコク抑圧策、またラバッタによる監視強化の結果、（一六〇一年の時点で）ウスコクの数は半減したといわれる。あるヴェネツィア人の証言である。「先のクリスマス、かれらは以前の略奪から残っていた食用油やわずかの豚肉しか食べるものがなく、パンもぶどう酒もなかった。その結果、だれも（あるいはわずかの人しか）ウスコクにならなくなった。かつて、ウスコクになれば自由で痛快な日々を暮らせるといわれたが、今は、そうした声は聞けなくなった」。

一方軍政国境の要塞では、長期戦争の間オスマン側からの移入者が歓迎され、ある統計では、一六〇〇年にも一〇〇人の難民がセーニに、二〇〇人がセーニ近郊にたどり着いている。また一六〇五年には七〇〇人のクルンポテ・ヴラーフがセーニ近郊にやってきた。このクルンポテ・ヴラーフは一六〇八年にイヴァン・ヴラトコヴィチの指揮下に入る。

セーニのウスコクは、ヴェネツィアによる海上封鎖と特使ラバッタによるウスコク抑制策によって一旦は勢力が衰えたが、このヴラーフが流入してくると、聖戦イメージと結びついた略奪が再び拡大することになった。そして後世の詩に詠まれるヴラトコヴィチを象徴とするウスコクの「英雄の時代」が最後に訪れるのである。

第四節　ヴラーフ移住の波とセーニ

長期戦争末期、ボスニア・リカのクルンポテ・ヴラーフの大集団がセーニ近郊に移住し、ヴラトコヴィチの指導の下で、聖戦を唱えながらウスコクの海賊キャンペーンに関わった。またその後も、他のヴラーフ集団の流入がセーニにとどまらず広い地域で始まった。

ヴェネツィアの海上封鎖とウスコクの略奪

ヴェネツィアの海上封鎖が激しくなる中でウスコクの海賊行為は封鎖の影響をどこまで受けてい

たのだろうか。その点が間接的にでも分かるような、イタリア側の史料を見てみよう。ウスコクに対して、ヴェネツィアをはじめとするイタリア商人が採りえた自衛の策は、輸送ルートを変えること、あるいは海上保険によって実害を逃れることであった。ここでは、ヴェネツィアの海上保険史料を取り上げる。そこから、アドリア海の海上輸送における海賊被害や海難事故の一端が見える。

歴史家テネンティは、一五九二年から一六〇九年の間に作成された一〇〇〇点ほどの海上保険証券、中でも何らかのアクシデントによって航海が中止されたケースのリストに注目した。これによると、航海を中止した理由の第二位が「拘束・強奪・拿捕・沈没・略奪」などの海賊行為二二五件(約四分の一)であり、海賊行為の中で最も多い行為主体は不特定の海賊(またはコルセア)で、一方の特定の海賊にウスコクが入っている。

この統計は比較的短期間のものではあるが、海賊行為による被害がかなり多いことが分る。また、難破や航海停止の原因記載がないものの中にも、同種の被害が含まれている可能性もある。海賊行為の主体に関しては、証書の記載自体が不正確である可能性はあるが、オスマン帝国やイングランドの海賊がウスコクと同程度、また数は少ないがスペイン、バルバリアの海賊などが見受けられ、そこではとくにウスコクが突出しているとはいえない。ただ、行為の主体を単に「海賊」とするかまたは未記載のままにするものが最も多く、保険契約の当事者である保険者・被保険者にとっては、航海停止の事実そのものが重要であり、だれによる被害かを明らかにすることは実際は大きな問題ではなかったと考えられる。

実は、この史料が対象とする時期はヴェネツィアによる海上封鎖が続き、セーニ市民の間でヴェネツィア船を襲撃することに自重を求める向きが目立つようになっていた時期である。それでもこの時期にセーニ（ただしその周辺）へのヴラーフの流入が始まっている。

一六〇八年の例では、一部のウスコクが自分たちの必要を満たすためにヴェネツィア船を襲撃した。特に二つの過激な無給兵士集団が封鎖の網をかいくぐってフヴァール港で布地と貨幣の荷を奪取した。かれらが帰港した途端、市民はその戦利品を没収しかれらを拘留し投獄した。二つの集団については、その家族まで追及したという。そういう状況を考えれば、はたしてだれかが分かるような形でウスコクがヴェネツィア船を襲っただろうか？　ユリシャ・ハイドゥクの類であれば、まずは身元を隠し、戦利品を他のルートで運ぶであろう。そしてこのようなケースは単なる「海賊」の襲撃に含まれたと考える方がいいのではないだろうか。

カルロヴァッ管区へのヴラーフ流入の波

一六〇〇年以後はクロアティア国境地域であるカルロヴァッ管区全体でヴラーフの大規模流入が始まった。

同管区の内セーニ隊長区に関しては、一六〇五年にやってきたクルンポテ・ヴラーフが、一六〇九年にはその一部がさらに他の国境地域に移った。

一六一一年にはセーニ隊長との取り決めにより、セルビア人の六三家族、五五〇人がブルログ周辺に移ってきた。近隣の集落が四三〇人ほどしかいなかったところに大規模な移住者が来たことになる。

一六一五年から一六一七年までのいわゆるウスコク戦争のあと、一六一八年の作戦により海賊ウスコクは一掃された。

ウスコク一掃後の一六二七年、（数は不詳ながら）やはりリチ地域にカトリック系牧畜民・兵士が移住してきて、リチから海にかけて、またセーニの裏山周辺に広がっていった。問題はかれらが多くの家畜を連れており、セーニを含めてリチ地域の牧草地を荒らし、中には畑を耕し、森の木を切る者も現れたために、セーニやその隣の町が軍政国境当局に被害を訴えている。（同様のことは、一八世紀には深刻な問題になる）。

一六三七年、今度はセルビア系の牧畜民・兵士の集団がブリニェ地方にやってきた。この年二六家族だったが、一六五八年には六六世帯五八五人になったという。その間、軍政国境当局は、ブリニェ地方を大まかにクロアティア系の多い地域とセルビア系の多い地域とに分けており、ブリニェの町の周辺はクロアティア系が多かった。セルビア系の牧畜民・兵士集団最大規模の移住は一六五八年に始まり八三家族九四一人がオトチャツ周辺に住み着いている

表2 カルロヴァツ管区における有給・無給兵士（1671 年）

隊長区	有給兵士	無給兵士
カルロヴァツ	42 人	43 人
ジュンベラク・スルーニ	204 人	300 人
トゥラニ	134 人	——
バリロヴィチ	84 人	——
トウニ	130 人	284 人*
オグリン	221 人	578 人**
セーニ	318 人	415 人**
オトチャツ	187 人	903 人**
計	1699 人	2520 人

ただし　*はカトリック教徒の入植者で無給の者、**は正教徒ヴラーフとカトリック教徒の入植者で無給の者

さて一六七一年の時点で、カルロヴァッ管区の兵員は総数で四二一九人、そのうち一六九九人が有給兵士、二五二〇人が無給兵士だった。無給兵士は、有給兵士を人数で八二一人上回っていただけだった。表2をみると、無給兵士の大半は、隊長区の西部へ入植している。

その後オスマン帝国が二度目のウィーン遠征（一六八三年）をおこない、それに失敗すると、リカ地方はハプスブルク帝国側のものとなり、セーニ周辺の沿海地方は移住者を受け入れるよりも逆にリカへの移住者を送り出すことになった。

セーニの反乱（一七一九～一七二二）とヴラーフ

ウィーン遠征の後、墺土戦争（一七一六～一七一八）など戦争が続く中、軍事費増大に苦慮するウィーン中央によって、軍政国境制度の自己負担化、近代化が始まった。そのプロセスは一八世紀半ばまでつづく。このうねりの中で、セーニ周辺そしてクロアティア国境地域のヴラーフの地位や生活がどう変わったか。本章の最後に見ておこう。

一七一九年二月半ばの某日、ブリニェを中心とするセーニ隊長区の兵士たちが六〇〇（一説で一〇〇〇）人ほど、ある教会の鐘の音を合図に、武器を持って集まった。このときブリニェ周辺の兵士で有給、無給を問わず、そのほぼ全員が集結したと考えられる。

以後兵士たちの蜂起が近隣でも行われ、その波がセーニ市に及ぶと軍政当局への反乱は本格化し、数年に及んだ。セーニ市民の反乱は、軍政国境部隊の蜂起と連動していた。だが、その原因と目的は異なっていた。

まずセーニの市民は、隣接するリイェカやトリエステが得たように、町の発展に資する権益を得ようとしていた。

軍の近代化が一貫して権力の求心化を求めていたので、それによって最も生活を脅かされたのは、軍政国境住民の地方自治であった。

一六世紀と一七世紀、セーニの存在理由の第一は、それがオスマン侵攻に対する防衛拠点だという点にあった。しかし、ウィーン攻撃に失敗したオスマン帝国が、国境線を内陸方向へ大きく南下させたとき、セーニは最早防衛拠点ではなくなり、市民は自分たちを防衛義務から解放させようとした。そして新たな発展の機会を模索しはじめたのである。

軍政当局は、結局、セーニへの影響を維持することはできたが、それには多大な努力と直接の軍事介入が必要だった。

セーニ市と軍政国境部隊の反乱が抑えられた結果、軍政国境全体のより毅然とした軍事化が行われた。

軍政国境の部隊はといえば、まず有給兵士たちは、訓練時の宿泊費や胸甲騎兵の装備費など、自己負担の増大によって実際上無給兵士との区別がなくなり、特権が奪われると感じた。一方無給兵士たちは、軍隊維持のための貢納金の支払、塩価の引き上げなどによって、かれらが従来免除されたものが一つ一つ義務化されると感じた。軍政国境に入植した兵士たちは、塩を特権的に安い価格で受け取って、それを転売していたのである。実際、ある地域の反乱のきっかけは塩価の引き上げであったが、それは専らセルビア人ヴラーフからなるブルログ、ヴィリチ、そしてヴルホヴィナといった地域であり、反乱した兵士は無給の兵士だった。

有給兵士たちの反乱の直接的なきっかけの一つとして、胸甲騎兵（重騎兵）部隊の創設があったが、これは先延ばしされた。

一方、セーニ市の経済的な特権は廃止された。

では、かつての海賊ウスコクとの関係で重要な、無給兵士たちの立場や暮らしは全体的にどうなったのか？

有給の兵士たちが耕作にも慣れ、定住しているのに比べ、無給の国境兵士は主に牧畜民で、一定の地片を持っているが、家族の一部はさらなる牧草地を求めてかなりの移動をしていた。また豊富な経験と数多くの馬を持つので、かれらは密輸や塩貿易にかかわっていた。実際この頃は、陸地の通商のほとんどはかれらが担っていた。耕作の可能性が限られていたために無給の兵士たちほど、小麦と交換できる塩が何より大事なのであった。

軍政当局は、一八世紀前半に給与制そのものを大きく変更し、無給兵士が給与をもらえる可能性をすべて奪った。無給兵士たちは軍権力の、こうした政策には強く反対した。一方貴族と市民は軍権力の存在そのものに敵対した。

ただ、軍隊の維持費などいくつかの問題では、無給兵士も貴族も市民も利害は一致していた。

さて無給兵士の牧畜民は、元より、独立した家父長的な共同体に暮らしていた。

ヴラーフを中心とした、このような住民のライフスタイルの核にあったのが家父長的な家族制度、大家族ザドルガ（結婚しても兄弟で実家に残り、自衛や農耕・牧畜の多角的な経済を営む）でである。この家族制度は軍政国境の軍事制度によって維持・奨励されたが、ついには近代化の波の中では、少なくとも表面的には姿を消していった。

軍政国境のザドルガは、一八世紀前半に衰退傾向になったあと、もう一度短い、人為的な回復の時期を迎えた。軍役の新たなかたちが多くの成年男子からなる家族を奨励した。また人びとが、家族が小さくなったことで兵士を出せず、軍役から逃げることがないよう、家族の分割は禁止された。結果家族の分割は一応制限できた。しかし実際のところ家族は非公式に分割し始めており、この分割は、一九世紀前半以降さらに拍車がかかるのである。ただ、この大家族がなぜ分解したのか、その要因の本格的な研究（とりわけかれらがヴラーフだったという視点で）はまだない。

第六章　歴史のなかのウスコク

第一節　兵士としての評価

海賊よりも兵士として

ブローデルの『地中海』には次のような叙述もある。日本でウスコクが知られていなかった頃の訳なので［］カッコ内に現時点での補足説明をしておく。

一五九六年、クリッサ［クリス要塞］紛争のとき（このトルコの小さな要塞をウスコク人がだまし打ちで占領し、トルコはただちに取り戻したが、ハンガリー戦争に必要なほどの大変な資力を動員した）、このとき神聖ローマ帝国皇帝軍と教皇は対トルコとの戦争にヴェネツィアを引きずり込もうとした。ダルマーチア［ダルマティア］のあちこちのヴェネツィア領ではこのクリッサ戦争のせいで数々の紛争が起こっているときで、ナポリ副王オリバーレス公は、奇妙なことにスパラト［スプリット］を蜂起させようとした。あるいは少なくともスパラトで陰謀を企てた。このクリッサの年は、ヴェネツィアにとって一連の不安材料続きであり、スパラトの寄港地には無数の困難があった。レヴァント貿易のこの陸路をおさえることが、ヴェネツィアにとって、どんなに重要であったかをこれ以上によく示す例はない。

しかも一時的な成功ではなく、長続きすることが必要な中継基地であったスパラトはダルマーチアとヴェネツィアの関係のなかでも主要な中継基地になった。

中略

ヴェネツィアがスパラトをおさえた正確な原因に関して言えば、その責任の大半はウスコク人、キリスト教徒、イスラム教徒による海賊行為にあるということは疑いがない。ニコーラ・コンタリーニは、彼の著した『歴史』のなかで、地中海全体で海賊行為が増えたことが港の繁栄の原因となったと適切な表現で述べている。しかし海賊だけに責任があるわけではない。同じコンタリーニが〈今までに通例でなかったこと〉と言っているように、異常なまでに発展した陸路の人気が別の原因でありうるし、またそうであるにちがいない。

フェルナン・ブローデル、『地中海』Ⅰ、四七九・四八〇ページ

後世では海賊として有名なウスコクだが、キリスト教世界を守る兵士だったこと、かれら自身もそう思っていたことはこれまで述べてきたとおりだ。ここで、兵士としてかれらウスコクがはたした役割について全体的な評価をしてみよう。

ウスコクを肯定的に評価する人は、かれらなしでは（トリエステからフリウリまで）キリスト教徒の境界をオスマン軍勢の攻撃から守れなかったと言う。ヴェネツィアがウスコクの略奪に苦情を

述べ、かれらを内陸へ追い込むよう提案がされる度に、ウスコクは海の境界でオスマンを抑止したのであり、かれらを追放すればオスマン帝国が内オーストリアやイタリアにまで侵攻してしまうという声が聞かれた。しかし、おそらくは、かれらの支持者よりも、批判する側の方がウスコクの実力を分かっていただろう。一七世紀初め、ダルマティア総督の秘書官バルバロが、ウスコクの活動から受けた恩恵について、アドリア海におけるオスマン帝国の軍事的・経済的膨張をかれらが止めた点を中心に、こう述べている。

第一に、リカ地方からスクラディン、ネレトヴァ河に至る海岸沿いのオスマン領で、ウスコクの襲撃をおそれたオスマン臣民が居住を避けるようになった。ウスコクは、とくにリカ地方でトルコ人を住めないようにした。リカ盆地は絶え間ない戦役によって土地や村が荒らされ、略奪品こそさほど期待できなかったものの、セーニから陸路容易に到達できたため、家畜と捕虜を略奪する格好の場所になった。このリカにたいしてオスマン当局は、一五七〇年代後半、バルカンの後背地から、正教徒ヴラーフの牧畜民を（人が流出した）荒地に定住させ始めた。

この国境への定住策は、一五八〇年頃クリス県とリカ県のヴラーフの税負担について述べたとき、オスマンのヴラーフが世帯税と人頭税両方に加え、戦闘義務を負ったこととも符合する。

大公エルンスト（ハンガリーとクロアティアの摂政）、アウアースペルク将軍、そしてウィーンの宮廷軍事局は、すぐに、境界のそばでオスマン住民が定住するのを防ぐため、セーニからリカ地方のヴラーフを襲撃するよう命じた。セーニの隊長は、できるだけ多くの入植民を殺し、捕虜は海外に奴隷として売るよう命じられた。一五八〇年代と九〇年代を通して、軍政国境当局の指揮により、また自分たちの判断で、セーニのウスコクはリカ盆地への襲撃の度を増すのである。

一五八六年のある襲撃では、リカで家畜二四〇頭を奪うが、オスマンの地方長官との戦闘になる。ウスコクは長官の旗手を殺し、軍旗を奪い、警告としてオスマン兵の首を境界に晒した。これを見たヴェネツィアのガレー船指揮官が、晒首をやめさせようとする。すると、セーニの隊長と内オーストリアの大公カールはこれに抗議し、リカへの襲撃とオスマン兵の晒首は、トルコ人やオスマン側ヴラーフが（ハプスブルク）帝国と大公の利益に反してこの地に住み着くのを防ぐために不可欠だと強弁した。ウスコクは、オスマン臣民の定住を完全に防ぐことはできなかったが、それでも、ウスコクの定期的な襲撃はヴラーフをリカ地方からハプスブルク領に移住させ、同時に、リカ盆地に駐留するオスマン部隊の拡大を防いだのである。

セーニから近かったリカは、例外的なケースだったかもしれない。しかし秘書官バルバロと同じように、セーニから離れた地域でもウスコクがオスマン臣民の定住を邪魔したと見る者は、オスマン側のクリス地方長官など他にもいた。そして、住民の多くも、ウスコクの脅威がなければ、オスマン兵はキリスト教徒地域をもっと大胆に攻撃したに違いないと思っていた。

再びバルバロの意見だが、かれは、オスマン帝国が自らの艦隊を武装させるためにアドリア海の港を使うことを、ウスコクが他の誰よりも阻止したのだと言う。たしかにヴェネツィア共和国も、アドリア海をめぐる軍拡競争を案じて、オスマンが船の武装を強化しないよう同帝国中央と協定を結んでいた。ただ、オスマンの地方当局がこうした協定に背くのは防げなかった。その協定違反を防ぐ上でウスコクがはたした役割は、オブロヴァッツ（ザダルより上のズルマニャ川沿いの小さな港）での造船をめぐる動きを見れば分かる。オブロヴァッツ辺りは造船にふさわしい材木が豊富で、そこでオスマン軍は時折自らの艦隊を作ろうと試みた。まず一五三〇年代、対セーニ用に艦隊を作る計画が練られたが、ある年の六月、セーニからの遠征隊が、夜陰に乗じて、そこで建造されていた四隻のフスタ船と、とりわけガレー船を燃やした上で、オブロヴァッツの町を破壊した。オブロヴァッツでフスタ船を造る計画は一五六〇年代と八〇年代にも復活するが、ウスコクの襲撃によって計画はその都度頓挫した。オブロヴァッツはオスマン軍の駐屯地であると同時に小規模ながら商業港であり続けるが、それは、ウスコクの執拗な攻撃のせいで、その地の利をフルに軍事的に活用することができなかったことを意味する。

さらにウスコクは、ノヴィグラード海峡を見渡すドラテヴァッツなどで、オスマン側が航路を支配するような要塞の建設を妨害した。

因みにバルバロは、ヴェネツィアの領民がオスマン臣民を負傷させたにもかかわらず、ウスコクにその責任を転嫁したこともあったと認めている。一五八二年に、ヴェネツィアの十人評議会（同共和国の統治機構）に送られた報告には、ヴラーナ地域を襲撃していたオスマン船が、嵐の夜にヴェネツィア領民によって沈められたことが克明に記されている。ところがそれは、バルバロによると、別の文書ではウスコクの所業とされているのである。

バルバロの指摘の最後は、オスマンの港での商取引を妨害することで、間接的にヴェネツィアの港の繁栄に貢献したということである。オスマン商人の輸送船がウスコクの攻撃に非常に弱かったことは明白だった。ガベラ（ネレトヴァ河口の主要なオスマン貿易港）は、ウスコクがイスラム商人の貨物を物色するうえで格好の場所だった。そこは沼地で、水草が繁茂する土地で、そこに行くには浅瀬の海峡を通る必要があった。ウスコクは、ただ海峡をふさぎ、待ち伏せするか、船や倉庫を襲うため夜間波止場に降りるだけでよかった。

オスマン帝国の地方長官はウスコクの襲撃に対する防御としてそこに要塞を建設するよう命じた。それでも、ウスコクがガベラ港を襲うことも、ラグーザの塩倉庫を襲うことも食い止められなかった。一五九二年、オスマンの商人たちは、ウスコクがネレトヴァ河の交通を妨害し、「猊下の領土を脅かすのみならず、猊下の収益に損害を与えた」、とスルタンに訴えている。その後もなく、収益の低下についてヴェネツィアに抗議するため、オスマン側はネレトヴァ地区のデルヴィシュ・アガを特使として派遣した。特使はヴェネツィアのドージェ（元首）にこう告げた。「かつては、ネレトヴァの商品に物品税をかけるのが習わしでした。それが今や、これによる収益が、ウスコクによる損害のため、すっかり失われてしまいました」。

ウスコクの活動は、間接的なかたちでも、ネレトヴァ河口で交易の減少をもたらした。かれらの襲撃は西側の市場にオスマンの商品が流入するのを止めることこそできなかったが、この交易の方向性を大きく左右することができた。一五六〇年代から、ダニエル・ロドリゲス（レヴァントとの取引で有名なポルトガルのユダヤ人）は、スプリットの港をヴェネツィアとオスマン帝国の商業的な中継地点と位置づけ、開発に乗り出した。かれが、それまでありふれた港だったスプリットを選んだのは、海でも陸でもウスコクの襲撃から守りやすかったからである。この安全はアドリア海のユダヤ商業コミュニティにとってきわめて重要であった。このコミュニティが、特に、ウスコクの海賊行為にひどく痛めつけられたからである。この安全はオスマンとの交易に関わるものなら誰でも等しく魅力的なものだった。このスプリットから、オスマン商人は武装した輸送船団を使ってヴェネツィアに商品を送ることができた。こうしてヴェネツィアの肝入りで開発された港スプリットは、一五九〇年代に中継港として繁栄する。一方オスマン領のネレトヴァ地域は、急速に衰えていった。またオスマンとの交易の中継港だったドゥブロヴニクの役割は新たなライヴァルの出現によって脅かされ、苦境に立たされる。ドゥブロヴニクは特使をボスニアの長官に送り、スプリットが「ウスコクと悪人の巣窟」であると告発し、スプリットの成功はすなわちドゥブロヴニクが衰え、スルタンへの貢納金が払えなくなることを意味すると、要は警告をしたのである。

第二節　ウスコクの変容と「最後の」集団

ウスコクが難民から略奪者・海賊に変わり、その出身国がハプスブルク帝国からオスマン帝国に変化する様子について、主な流れは既に述べた。ここでは二つの帝国以外の出身だったり、ヴェネツィアからの流れ者、あるいはヴラーフ以外のオスマンからの逃亡者、そしてヴラーフの離散者の例まで、セーニやってくる様々な事情について補足しておく。

地元民から「ウスコクに襲われてウスコクになる者」まで

セーニの地元出身のウスコクは、一六二五年の台帳を見てもおよそ一〇家族ほど残っていた様だ。ただしこの地元市民と難民などは互いに婚姻を重ねており、両者の区別は必ずしも容易ではない。また利害関係、とりわけ町の経済のために略奪をするという点でも両者は一致していた。地元の旧家には、国境警備の正規兵の中で重要な役割を果たす者や、中には貴族もいたのだが、国境警備の任についていなくてもウスコクの活動に加わる者もいた。また、さらに貧しい市民でウスコクの輪に加わった者もいる。一五五八年の文書によれば、二〇〇人の盗賊の中に「土地の名士の召使や、町の靴屋や仕立屋その他の職人が含まれていた」。

次にヴェネツィア領から逃れてきた人々だが、それは海岸部、ヴェネツィア領でもダルマティア海岸の出身者が多かった。ヴェネツィア当局は海岸の一部を支配したオスマン帝国に対して反乱を起こして逃れた者と、ヴェネツィア国内で罪を犯した逃亡者とを区別しようとしたが、実際の区別は困難だった。

ウスコクになった動機は、貧しさとか、特権を奪われたといった動機が多かった。一五七〇―七三年のキプロス戦争でダルマティアの農業地帯がオスマン帝国に奪われた。すると残ったわずかな土地に難民があふれ、全体に貧困と飢餓が深刻化する。このとき略奪しか生きる術のない人々が現れた。するとヴェネツィアによるウスコクの取締強化にたいして、農民がウスコクを仲間とみて匿うケースも増えはじめた。

農民・ウスコクとヴェネツィア当局の対立関係には、ダルマティアの農民にとっては罪にならないことがヴェネツィアの法では罪になるといった（その例が塩の売買である、ヴェネツィア政府はこの頃塩を専売化していた）矛盾も関係した。

地元の農民あるいは国外からの難民で、ヴェネツィアの兵士になったが一旦退役し、その後「自由な」ウスコクに憧れて再び兵士になったケースもあった。そうした例は、キプロス戦争の後にもあった。

あてもなくやってきた者・ウスコクにスカウトされた者もいた。ハプスブルク領から逃れてきた人々については、中でもオスマン帝国との国境付近に住んでいた人々が多かった。まずは、オスマンの軍勢に襲撃されたが、守ってくれる砦もなく、兵士として雇ってくれる部隊も近くにいなかったためセーニへ来た例がある。次に、海岸では、ウスコクに襲われた者がウスコクになって誰かを襲う、といった場合もあった。そして襲ったウスコクは、なるべく相手をセーニに集めようとした。

イスラム教徒の逃亡者

少数とはいえ、イスラム教徒の国境警備兵がセーニへ向かうこともあった。イスラム教徒の中でも、オスマン帝国の「悪政」によって経済的・行政的圧迫を受けたケースはある。とくに税や賦役の増加などがその理由だった。たとえば一六〇四年のヘルツェゴヴィナの反乱では、イスラム教徒がキリスト教徒とともにオスマン帝国に反旗を翻し、ハプスブルクの王冠に忠誠を示した。そうしたウスコクの中には、ムラト、トゥルコ・マルコ、ガリ＝ババといった名が見られた。繰り返しになるが、ウスコクの出身地を探る上で、こうした名前が重要なのである。因みにトゥルコとはトルコ人である。

ところで、ウスコクの活動がヴェネツィアの利益を脅かすようになってからも、ヴェネツィア領民はウスコクを圧政的なオスマン帝国の被害者と見ていた。とくに宗教的な迫害に同情していたのだが、一六世紀の時点ではオスマン帝国による宗教的迫害は実際あまり見られない。多少税は重かったとはいえ、各教会に自治があった。しかしキリスト教会が回教寺院に変わっていった事実や、オスマン帝国のキリスト教徒がキリスト教国との戦争で兵士として戦うという矛盾は、反オスマン感情を生むことになった。

イスラム教徒が優遇されること、それも宗教だけでなく、経済や行政上の特権をかれらが持つことへの反発は、一六世紀中ごろからキリスト教徒の反乱というかたちで現れた。この頃からイスラム教徒の徴税請負人など、地方豪族ともいうべき勢力が勝手に住民を搾取しはじめ、信仰上の権利も蹂躙されるようになる。地方社会は経済的圧迫と宗教的抑圧に覆われ、とりわけ突然の増税やその他の負担が課せられると住民は反抗におよんだのである。

ネレトヴァ河沿いの町、ガベラの裁判官が一五九〇年に出した布告がこうした紛争の例である。ただしガベラ住民のどれだけがキリスト教徒かは分からず、そこに宗教的抑圧があったかどうかは不詳である。ネレトヴァ河口の人々は、貢納金一〇〇アスパースと守備隊を維持する費用の分担金二〇アスパースを除けば、あらゆる税や賦役は免除されていた。ところが徴税請負人が替わり、新しい徴税請負人が新たな税や分担金を要求したのである。「件の某メフメト・アガは、貧者が貢納金一二〇アスパースのみを払っていたところへ、スルタンの命に背いて、全ての者から貢納金三〇〇アスパースを取り立て、なおかつ年に六、七度それも三〇人の供を従えて巡回を行い、当該住民に多大な害悪と不正を及ぼした」。結果、住民の大半がヴェネツィアの島々に逃亡したといわれる。一方ヴェネツィアの国境当局も、オスマン臣民を「圧政者」が経済的に搾取していると見ていた。「この住民たちは、サンジャク・ベイ（県長官）やその家臣たちによる強要や増税から逃げてきたものである」、という報告が残っている。元より移民の受け入れに消極的だったヴェネツィアの役人たちさえもが、「かれらをセーニに行かせるよりは、我々の下に逃げ込んだ方が害は少ない」と報告したのである。しかし他の資料からすれば、こうしたオスマン領からの移民がダルマティアの暮らしに満足できずにセーニに流れる場合も、多々あったようだ。

「最後の」集団としてのヴラーフ

一方兵士などキリスト教徒でも何らかの特権を認められた者の中には、イスラム教に改宗して特権を守るか、逆にオスマンの支配に公然と立ち向かうかあるいは離散する者もいた。先に触れたヴラーフが公然たる離散者の例である。たとえばクルンポテ・ヴラーフという大集団の場合、オスマン領リカ県の守備隊をつとめていたのが、それまで認められていた特権がオスマン支配層によってはく奪され、そのため大集団の部分部分がセーニへ移住する状態が数年続いたのち、一六〇五年オスマン領オブロヴァツ近郊からヴィノドル後方のハプスブルク領へ集団で逃亡したのである。かれらは、自ら、オスマンの軍事制度に即して兵役を果たし、その代わりとして認められていた社会的、経済的特権を奪われたことに不満を持ったと述べている。そしてかれらを、神が離散・逃亡へと導いたのだと説明している。かれらは、まだリカ地方にいたときに、「聖なる魂に照らされ、夜の夢で洗礼者ヨヴァン（ヨハネ）によってリチの砂漠へと導かれた」、と語っている。この説明は、ハプスブルク当局にややおもねったものだろうが、境界地域では増税や特権の喪失が宗教的抑圧と受け止められることはよくある。このようなケースでヴラーフが問題にした特権の具体的な中身については手がかりが乏しいものの、増税以外に、例の牧畜民のライフスタイルに関わる移動の自由、武器の携帯、家族形態の維持なども関係しただろう。

結局、この一六〇〇年代にやってきた「最後の」ヴラーフが、オスマンからの「自覚的」離散者であり、ウスコクでも最も「組織的な」集団を形づくったと考えられる。

第三節　ヴェネツィア、そしてオーストリアとの対立

本書でたびたび触れてきたことではあるが、前章の最後でも、ウスコクとヴェネツィア共和国の敵対関係を示唆した。ここで今度はウスコクを敵視するようになったヴェネツィアの、またオーストリアの側の事情を見ていく。

ヴェネツィアはウスコクに自分たちの船を襲われ、なおかつアドリア海の航行を管理できないことをオスマンに非難され、ついにはオーストリアとのウスコク戦争に向かわざるを得なくなる。

そもそも一五四〇年、ヴェネツィアはオスマン帝国と協定を結び、オスマン商船の安全を保証して、かれらに護衛のガレー船を提供していた。オスマン商船を護衛するということは、オスマン商船をウスコクが襲撃すればこれを撃退しなければならない。となれば、ウスコクとヴェネツィアはにわかに敵対関係に陥る。オスマンと手を組んだヴェネツィアに対する報復として、クルク、ラブ、パグといったヴェネツィア領の島々を荒らし回ったり、ヴェネツィア領を拠点にしてオスマン領を襲ったりしたウスコクとの関係は、悪化するばかりであった。

一五六一年以後になると、ウスコクはドゥブロヴニク領でキリスト教徒の船を頻繁に襲うようになる。一五七〇～七三年、ヴェネツィアはスペインや教皇とともに神聖同盟を結んでオスマン帝国と戦う。いわゆるキプロス戦争である。このときヴェネツィアはオスマンに対する反撃のためにウスコクを召集している。しかし一五七三年には、ヴェネツィアでウスコクによる襲撃が大きな問題になる。このとき、ヴェネツィアによる船舶の護衛に効果がなかったことが曝け出されたのである。そして、逆に、海賊ウスコクの勇猛さについて評判が広がり、いろいろな国からの難民、そしてならず者たちの注目を集めるという循環が生まれた。

一五九〇年代、ヴェネツィアがいよいよウスコク討伐を強化する。海賊ウスコクから自分たちの船を護衛し、監視塔を整えようとする。しかしそのコストがあまりに大きくなりすぎた。一五九〇年代年間十二万ターラー、一六〇〇年代に入ると二十万、一六一五年までには三六万ターラーにまでなっていく。ヴェネツィアはクロアティア沿岸の貿易港を封鎖するという策をとった。ハプスブルク帝国も、ついにヴェネツィアの圧力に屈して、ウスコクの取締に乗り出す。一六〇六年に長期戦争が終結するとともに、ハプスブルク、オスマンの両帝国、これにヴェネツィアを加えた三国が正式に和平を結ぶ。そして関係国すべてに、襲撃や戦争行為が禁じられる。しかしだからといって、略奪の利得がなくなった分の補償として、セーニの守備隊に援助が行なわれたわけではなかった。

当然ウスコクの襲撃は止まない。依然としてウスコクの襲撃に、そして襲撃されたオスマン帝国側からの苦情に悩まされたヴェネツィアは、オーストリア大公が内政上の理由でセーニに毅然とした態度をとらないのに乗じて、ヴェネツィア艦隊をダルマティア海岸方面に派遣し、船の往来を止め、ウスコクの海上遠征を封じこめた。そして一六一五年の一一月、ハプスブルク帝国に対して宣戦を布告する。これが、いわゆる「ウスコク戦争（またはグラディスカの戦争）」である。ヴェネツィア軍は攻撃力や機動性により当初こそ優勢だったものの、それを持続できなかった。一方オーストリア大公の方も反撃はするが、皇位継承などいくつかの問題に悩まされていた。

ヴェネツィアとすれば、掃討すべきウスコクがオーストリア大公の息がかかっており、そのフェルディナントが神聖ローマ皇帝マティアスや義理の兄弟であるスペイン王フェリペ三世に援けを求めることは当然予想できた。そのためヴェネツィアは、反ハプスブルクの同盟国を求めて国際的に働きかける。軍事的には、重要な港グラディスカの封鎖を強化するが、疫病により同盟国オランダの兵士は半減した。ウスコク戦争は一方がオーストリアとスペイン、他方はヴェネツィア、オランダ、イギリスで争われた。オーストリア、スペインのハプスブルク家と、そのヨーロッパでの覇権を阻止しようとする反対勢力との国際戦争たる三〇年戦争の前哨戦だった。

フェルディナントにはグラディスカを守るために四〇〇〇人の兵士しかいなかったものの、スペインからの軍事的、政治的、財政的支援があった。それはスペイン国王による、アルザスなどの譲渡と引き換えに、次の神聖ローマ皇帝としてフェルディナントを推すという大きな取引の一環だった。

オーストリア・ハプスブルク家のフェルディナントは、すでにドイツでの宗教対立の先行きを見越して、ヴェネツィアとの戦争から手を引きたいと考えていた。ヴェネツィアも、スペインが戦争に直接介入するのを恐れた。こうしてフェルディナントとヴェネツィアは一六一七年のマドリード条約に同意した。そしてこれに関連したウィーンでの合意によってハプスブルク帝国はセーニからウスコクを追放し、船を焼き払うことにした。

ここで、ウスコクをめぐるオーストリアとオスマン帝国そしてヴェネツィアの関係の政治的な意味を改めて考えてみたい。

ジトヴァ・トロクの条約（一六〇六年）でオスマン帝国と講和した後、ハプスブルク帝国としては、オスマン側との和平を妨げるものは排除しなければならず、ウスコクの存在を正当化してきた聖戦論も、宗教改革以後のキリスト教世界の分裂があり、ほとんど無用の長物になったと考えた。だからこそウスコク戦争の終焉を告げたマドリード条約（一六一五年）ののち、ウスコクをセーニから一掃したのである。

軍政国境の防衛システムにとっては、ウスコクの古めかしいイデオロギーは、創設当初こそ、大いに役立っていた。ハプスブルク帝国が財政負担を負うことなく、かれらはオスマン帝国と戦ってくれたからだ。

そのウスコクを一六一七年に一掃したということは、ハプスブルク帝国が（聖戦論とは無縁の）近代の軍事システムに移行し始めたこと、オスマン帝国やヴェネツィアと領土的なすみわけが完遂したことを意味する。国境が法的に定められ、ボーダー・ゾーンはボーダー・ラインになった。オスマン帝国との関係も宗教的な関係から世俗的な関係に置き換えられていったのである。

ハプスブルク帝国とヴェネツィアとの関係については、一七世紀の当初は、両国の政治的関係が改善されることはなかった。しかし、アドリア海で平和を維持する必要性の方がオーストリア大公の「勢力拡大志向」を最終的に凌駕したようだ。

ウィーンの宮廷とフェルディナント大公、そしてヴェネツィアが結んだマドリード条約にはウスコクに関する対応が定められていた。しかし、ウスコクに対する政府の責任はきわめて曖昧なものだった。ハプスブルク帝国はウスコクの中にヴェネツィア領民が（たとえわずかでも）混じっていた以上、かれらの海賊行為による被害者はヴェネツィア政府に賠償を求めるべきだという姿勢をとった。ウスコクが、非正規兵だったとはいえ、ハプスブルク帝国の防衛システムを構成した要因であったにもかかわらず、ハプスブルク政府の責任を棚上げしたのである。

第四節　ウスコク自身の精神世界

一六・七世紀クロアティア境界の精神世界と目的については第四章ですでに概括したが、本書の最後に、一五九〇年代と一七世紀初頭の時期を中心に、ウスコク自身の精神世界を掘り下げて見よう。

ヴェネツィアの当局からすれば、セーニのウスコクは海賊や盗賊の類にすぎない。一六世紀末の海賊ウスコクが、同じキリスト教徒のヴェネツィア船を襲えば、ウスコクの聖戦論は、世論をだますための宗教的な粉飾か、単なる偽善にしか見えなかった。

それでもウスコクが後世に語り継がれる英雄になったとしたら、具体的にウスコクのどういう行動や精神世界がそうさせたのだろうか？

ウスコクの行動を決めた様々な要因

では、異教徒と戦う中で味方であるはずのキリスト教徒を攻撃したり襲ったりした場合それは許されるのか、だとすればそれはいつ、どんなときか。こうした判断をせまられたとき、問題はかなり複雑になる。アドリア海の通商の実情やウスコクの戦いの性格からして、こうした問題は必ず派生する。たとえばキリスト教徒の船に積んであったとしても、積み荷がトルコ人やユダヤ人の品物であった場合、略奪は許されるのか。ラグーザ（ドゥブロヴニク）の人びとの、またはスルタンの家臣の積み荷や船はどうか。オスマン帝国のキリスト教徒臣民にたいする襲撃はどこまで許されるか。ダルマティアの住民がウスコクを助ける義務はどこまであるのか。またもしそれを拒絶したら、ウスコクはどう対処するか。ウスコクを監視するため巡回しているヴェネツィアの指揮官は、オスマンの仲間と見るべきか。こうした問いかけにどう答えるかは、具体的な状況と当事者の利害関係とによって決まった。緩やかな原則として、セーニの意見の対立を引き起こすこともなく、やはり、異教徒からキリスト教世界を守り、名誉を尊ぶことが、こうした判断に困る者すべてに対する攻撃を正当化した。そのような場合、攻撃を受けた側が、ウスコクの攻撃を正当化する言い分に同意しなかったとしても不思議はないし、ウスコクの戦利品が正当なものかどうかについて、軍政国境地帯の指導者や隊長が別の判断をすることもあった。そもそもウスコク内部でも、正当な攻撃か不当な攻撃か意見が分かれることがあったはずである。

要するに、ウスコクの行動それぞれに、いくつかの要因が関係したということである。「近代的な」言い方をすれば、①経済的な必要性、②ウスコクの指導者と敵、味方の関係から生まれ、かつ変化をともなう政治的判断、様々な同盟や敵対の仕方、そして③複雑な現場の状況、これらすべてが境界世界へのウスコクの関わりに影響を与えた。物質的な要因というのはごく一部で、それだけでウスコクの行動を解くことはできない。集団が生き残らなければならないとしても、どういう集団として生き残るかが重要だったはずである。ウスコクは、聖戦の使命、名誉や報復の権利・義務といった観点で、自分たちの生存を説明したのであり、こうした精神的要素がかれらの行動に影響を与えたことはすでに述べたとおりである。ウスコクが概ね自分たちが正しいと思っていた以上、この精神的要素こそがウスコクにとって善悪の判断基準になったと考えられる。そして攻撃の実行や暴力の行使を正当化するような、公正さについての信念がそこから形づくられた。セバスチャン・ドゥ・サチがセーニ部隊の副隊長だったとき、かれが住んでいたセーニの家の窓に刻まれた碑文が、ウスコクの基本的な姿勢を示していた。「神がわれらと共にあるならば、だれがわれらに歯ないのではなかろうか。

向かうのか」。ウスコクが八〇年ほど生き延びた理由の一つが、こうした信念だったことは間違いないのではなかろうか。

教会による「キリスト教世界の防壁」論とウスコク自身の使命感

ウスコクが戦う動機は単純だった。それはキリスト教世界の境界を守る、聖なる戦いを行っているという使命感だった。この想いは、ウスコク自身がオスマンの征服や圧制からの難民、あるいはその子孫だと述べていたことと符号する。そしてさらにハプスブルク王家やカトリック教会がそれを後押した。

バルカン地域の西端でキリスト教世界の境界を守るということは、ハプスブルクがクロアティアの王冠を受け継ぎ、維持する主たる根拠であった。オスマンの侵入に精力的に対抗することを誓ったからこそ、クロアティア議会はフェルディナント一世をクロアティア国王として受け入れ、軍政国境地帯を特別な区域として組織することに合意したのである。

クロアティアのハプスブルク帝国国境は、軍事的・政治的理由だけで正当化された訳ではない。イスラム教徒の側もそうだったが、境界は宗教的義務感つまり異教徒に対して戦い、忠誠を守らなければならない場所であった。ハプスブルクが軍事的攻勢をかけようとする際の呼びかけも、バルカンのキリスト教徒を蜂起させるという宗教的なレトリックで表現されていた。その目的とは、宗教的圧迫者のくびきから、かれらを解放することだった。国境地帯の物資がすべて不足がちだったという苦況も、「キリストの共和国」を守るという国境警備兵の義務を強調することで乗り越えられた。一六世紀を通じてハプスブルク帝国の役人は、セーニのウスコクにキリスト教世界を死守するという義務を植え付ける努力を惜しまなかった。そして、実際は異教徒との戦いよりも政治的都合を優先させようとする企てがあったときでさえ、このレトリックは生きていた。公式文書がセーニに触れるとき、いつも軍事的・宗教的な隠喩（メタファー）が折り込まれていた。つまりセーニは「忠誠の」防波堤、あるいはキリスト教世界の防壁とされた。こうしてこのことばは、ウスコクの自己イメージになったのである。

教皇庁と各地のカトリック聖職者も「キリスト教世界の防壁」という観念を、ウスコク活動の枠組みとして再利用した。一六世紀、異教徒と戦う十字軍に教皇が関与することは、様々な理由があって牽制された。それでも多くの教皇（アドリアン四世、ピウス五世そしてクレメント八世）は、オスマン帝国に対抗するべくキリスト教世界を団結させる試みを精力的にすすめた。そしてクロアティアやダルマティアの境界に生きた下級カトリック聖職者も、異教徒に対する教皇の努力をいつも「戦闘的に」支持した。クロアティア・ダルマティア聖職者の多くはウスコクと強い結びつきを持ち、自らの影響力を発揮してウスコクと自分の信徒たちの関係も操作した。聖職者の中には、異教徒に対するウスコクの襲撃を認めて、自ら情報を流したり、戦利品を隠し、その分け前をもらう者もいた。またある者は、自ら襲撃に加わった。こうした司祭や修道士がダルマティアやオスマン帝国の住民をウスコク支援に向かわせる上で果たした役割は、一五九六年、ウスコクがオスマン支配下のクリスを解放しようとした作戦の際に、劇的なかたちで表われた。

海賊ウスコクの時代の後に尋問された多くのヴェネツィア領民は、修道士たちの十字軍熱がなければ、ヴェネツィア中央の意向に背いてオスマンと戦うことは決してなかったと釈明している。こうした修道士の一人シモン・ウルマネオ師は、ウスコクや反徒の列に加わることに臆病だった家々を一つ一つ訪ね、手には糸取棒や紡錘を持ちながらこう叫んだという。「臆病者め！お前らには、銃や剣より、こっちの道具こそ似つかわしい。仕事もこっちの方がお似合いだ。女の着物を着て、糸紡ぎでもしながら家に隠れていろ。お前たちには仲間が戦さに出て、信仰のために闘っているのが見えないのか」。かの、ヨーロッパに広く見られたシャリヴァリ（「民衆の敵」にたいする制裁儀礼）のようである。こうした聖職者の好戦性が目に余ったため、一五九八年、ザダルの宗教会議は聖職者が軍服姿で教会に出るのを禁じてさえいる。

ウスコクの使命感は思想やプログラムではなかった

このようにウスコクの使命感を説明するのは比較的容易なことである。だが、ウスコク自身がどこまで自覚的にその使命を果たそうとしていたということは難しい。クリス要塞を奪還するという夢をウスコクは持ち続けたものの、かれら自身がバルカンを解放しようという計画を持っていた証拠は、まず見当たらないだろう。一六世紀を通じて、クリス要塞の奪還計画などに関連して、バルカンのキリスト教徒は異教徒のくびきに抗して立ち上がる用意があり、適切な機会と西側からの支援さえあれば実行に移すという見方が西側に広まっていた。ウスコクは、かつてのキリスト教徒の要塞を解放する計画の行動部隊であった。クリス解放計画は一六世紀中繰り返され、一五四〇年代、八〇年代に実行された。そして一五九六年にクリス要塞は短期間ながら実際に奪還された。ウスコクがこうした企てに加わったことで、異教徒やその同盟者に対する聖なる戦いという理念との関わりが一層強くなった。バルカン解放計画を企てる陰謀家たちと出会って、ウスコクの首領たちは自分たちとは違う反オスマン思想に触れることになる。一六〇六年のオスマン帝国との講和条約で、ハプスブルク帝国が国境警備を緩める気配を見せてから、ヴォイヴォダのイヴァン・ヴラトコヴィチは、スペインが（ニクシッチの）キリスト教徒指導者を担いで（ボスニア・ヘルツェゴヴィナやセルビア、アルバニアによる）反オスマン蜂起を起こす計画を知ると、この計画への支援を申し出ている。しかしウスコクたちがこうした計画を自ら組織したり、扇動したりすることはまずなかった。たとえ反オスマンの闘争に関わったとしても、（あるいはウスコクの指導者がヴェネツィアやオスマン支配下の軍勢と同盟を組んだとしても）、ウスコクは何かの構想をもった指導者や革命家ではなかったのである。だれかほかの夢想家が仕組んだ反乱の兵卒にすぎなかった。

ウスコクが広くオスマン支配に対する反乱で先頭に立たないからといって驚くにはあたらない。「キリスト教世界の防壁」という使命の背後にあるのは、結局、キリスト教世界を擁護したいという想いだけで、その解放のプログラムではないのだから。ウスコクも、オスマン支配下の不幸なキリスト教徒に、ある種の責任は感じていただろう（とくに血縁や氏族的なつながりがあればなおさらそうだった）。が、だからといって、あらゆるキリスト教徒たちの保護者だとも、守護者だとも思っていないだろう。ウスコクにしてみれば、キリスト教世界の守り手でありつづけるには、襲撃と反撃の絶えざる戦闘の中でつねに命をかけ、オスマンとの戦いに献身してさえいれば十分だった。

第五節　境界特有の倫理観とそれが育んだウスコクの「団結」

名誉と忠誠そして「報復」——ウスコクの掟

ウスコクの行動を左右したのは、「キリスト教世界の防壁」という使命感だが、もっと奥底には名誉へのこだわりという倫理的要因があった。この倫理観はウスコクだけに特有なものではなく、境界地域の人々全体に共通な精神性の一部である。（実際それは国家権力の及びにくい地中海地域の多くで、社会関係の調整に役立った）。セーニは都市で、様々な人びとがいたが、名誉やそれに付随した倫理観を中心として、ウスコクの掟がつくられた。

名誉は英雄になるための最大の条件であり、すべてのウスコクが求めてやまない評価なのだ。イヴァンとミホのヴラトコヴィチ兄弟を支持するためにセーニの住民が行ったその他の証言は、「すべての騎士がはたすべき義務への配慮」、戦場で命を懸け、血を流す覚悟、戦った経験、町に役立つ能力、トルコ人など「キリスト教の敵」と闘ったときの勝利や栄光、反抗的である者を罰するときの厳しさといった英雄的で名誉を高める品格や行動の数々を上げている。逆に、あるウスコク指導者（オトチャツの指揮官A・ミクラニッチ）についての聞き取りからは、名誉を失って、否定された品格にたいするウスコクの見方がよく分かる。それは自ら血を流すことへのためらい、敵との交戦に惨敗すること、仲間やスパイへの報酬をけちること、自分の男らしさについて配慮を欠くこと、戦闘の痕や傷がないことなどなど。

名誉へのこだわりは、忠誠や信頼を尊ぶ傾向につながる。とくに血縁、あるいはもっと大きな単位（部隊、セーニの町、あるいはキリスト教世界全体）の共同体の結びつきにおいてそれが尊ばれた。このような共同体は、口にしたことばがつねに神聖であるような、言霊（ことだま）の社会であった。たとえばダルマティア総督が、ウスコクの指導者に極秘情報の見返りに賄賂を贈ろうとしたとき、こんなことに気づかされた。「どんなに残忍な人殺しをしようと、この悪党どもにも見るべきところは多い。口にしたことばを守るという点では、かれらは誰にもひけをとらない。それは身内の間でも、敵に対してもそうだった。悪事の限りを尽くすかもしれないが、仲間を見捨てたり裏切ったりは決してしないだろう」。一旦ことばにして忠誠を誓えば、裏切りは名誉にもとるのだ。裏切り、それはどんな場合も不名誉なのである（そして誓いを拒むことは相手にたいする侮辱を意味した）。ウスコクを外から見る者たちは、異口同音にこう言った。「その報酬がどんなに大きくとも、かれらの間に裏切りをはたらく者はいない」、「誓いをたてた仲であれば、忠誠を裏切ることをかれらは極端に嫌い、それよりはむしろ罰を、たとえそれが死であっても甘んじて受け入れるだろう」、と。ウスコク自身も、自分たちのヴォイヴォダを評価するときも「セーニを裏切るようなことは決してしなかった」とか、「セーニの町や軍団、自分の部隊を裏切らなかった」といった事実を数えあげており、かれらがいかに名誉を重んじたか、ここから分かるのである。

だがこうした原則が必ず絶対に守られたかというと、人間というものの本性から言ってもありえない。誓いは破られ、信頼を守ろうとする行為も時には裏切られた。仲間をヴェネツィアに売れば多大な報酬が得られるため、ウスコクの中にも裏切りが生まれた。しかしそんなことをすれば報復があるという精神的な圧迫が、誓いを強化していたのである。ヴェネツィアのフェルモのジョヴァンニ（ウスコクを支持する商人）も、ウスコクは「報復の民であり、自分が受けた被害を何倍にでもして返すので、報復のきっかけを作った者には大変厄介な存在だった。というのは報復の誓いは、何世紀にもわたって記憶されるからである」。忠誠を裏切ればどんな恐ろしい復讐が待っているかということは、報酬に目が眩んで仲間を裏切ったウスコクの例をみればよく分かる。セーニに来てからイスラム教からキリスト教に改宗した男スーレ・ボソティナは、ヴェネツィアに寝返ったとき家族を報復に合わせないため、ヴェネツィアに逮捕されたように見せ掛ける芝居を打った。この男がそれほど報復を恐れたのは、前の年一五九八年、ブラーチ島のユーライ・ベルスコヴィチとその一家が、ウスコクの報復で惨殺されたからである。「ユーライの息子パヴレ・ベルスコヴィチは、ウスコクの仲間に加わりながら、その後裏切って、かの有名なダルマティア総督ベンボーに見込まれ、ヴェネツィアの手先になった。このことからも、殿下、ウスコクの忠誠に対して裏切りを犯せば、かれらがいかなる報復をするかお分りであろう」。

一五九〇年代と一七世紀の初め、海賊ウスコクはより頻繁に、組織的に復讐を行ったと考えられる。そこでウスコクについては、復讐ではなく報復という言い方をしたい。

激しかったラグーザへの報復

同じキリスト教徒でも、名誉を傷つけられたときに、傷つけた相手に報復がおこなわれることもあった。恐らくその最も有名なケースは、一五七一年にウスコクのヴォイヴォダ、ユーライ・ダニチッチの殺害にたいして行なわれた報復だった。ウスコクは、ラグーザ共和国（ドゥブロヴニクを含む）の当局が自分たちに誓ったことばが裏切られたとみなした。ダニチッチ指揮下のウスコクは、ドゥブロヴニクで略奪をしていたのだが、この略奪にはヴェネツィアも絡んでいた。ヴェネツィアはオスマン帝国と戦争していたし、小さいながらそのライヴァルだったドゥブロヴニクに痛手を与えるために、ウスコクの略奪を秘かに後押ししていた（ウスコクは自分たちが占領した土地に旗を立て、聖トリニティ教会近郊の区域では主権を主張したりしていたが、それはラグーザにとっては「大きな屈辱であり、損害であった」）。このウスコクの一団は、ラグーザの隊商を襲った帰り道、ラグーザの部隊に出くわした。ダニチッチは、自己弁護のため、自分たちはトルコ人だけを襲うつもりでやってきたのであり、隊商を襲ったのはその荷物にトルコの品々が混じっていると聞いたからだ、とラグーザ部隊の指揮官に告げた。また、以前ラグーザの村で衝突があった件について、そのときウスコクは食物に飢えており、村人を傷つけたとしてもそれは村人が抵抗した場合に限ったことだと弁明した。またかれは、隊商から略奪したラグーザの品々を返却することにも同意した。しかしそうこうしている間に武力衝突が起き、双方から数人の死者がでた。ウスコクはあわてて船を出そうとして、多数が溺れてしまった。その際ダニチッチがどう死んだかははっきりしないが、後々まで語り継がれたところでは、ラグーザの指揮官がダニチッチを呼び、交渉中の安全を約束したにもかかわらず、その交渉中にダニチッチは捕らえられ、殺されたようだ。

ラグーザの人々が計略によってダニチッチを殺したのかどうかに関わらず、ウスコクはラグーザの人々すべてが忠誠の誓いを裏切ったと責め立てた。ラグーザの商人や役人にたいするヴェンデッタ、つまり報復は教皇が仲裁に入るまで数年も続くのである。その間、ラグーザの船にたいする襲撃や領土の侵犯はこの掟によって正当化されたのである。ヴェンデッタは、ウスコクの正当な報復の例として第三者にも繰り返し語られた。ダニチッチの死から一〇年程たった頃にも、トロギールの町の修道院長が休戦違反のかどでウスコクの一人を捕らえた際に、仲間のウスコクがダニチッチの例を出して修道院長をおどし、名誉というものがいかに大切かを力説した。「われらの仲間は五〇人。その内一人でも残っているかぎり、ダニチッチを殺害したラグーザに対して行なったように、神がお許しくださる範囲であらゆる報復をすることをわれらは誓い合っている」。

ウスコクの報復はきまぐれに行なわれた訳ではなく、何か大きな決まりに則っていた。ウスコクは、仲間のだれかが侮辱されれば、全員が報復する義務を負った。また報復の対象が本人である必要はない。相手の家族やそれに近い人間を復讐の身代わりにした。だれを報復の的にするかは、一つの問題だった。たとえば一五七七年カンディア（クレタ島）守備隊の隊長が率いる一団のパトロン（経済的支援者）が、命からがら逃げだした話がある。かれは、とある入江で、一六人のウスコクが乗るバーク船（一部のみ縦帆で、他は横帆の帆船）に取り囲まれた。「かれらは私一人を近くの森に連れていき、私の首を切ると脅した。そしてウスコクの頭目が『お前の隊長がわしの息子を縛り首にした。だからお前がその罰を受けるのだ』と言ったのだ」。だがウスコクと一緒にいた司祭がこの処刑に反対して、頭目のいとこを呼びにやり、そのいとこが、何とかパトロンの命を救ったのである。

境界の「暴力」とウスコクの「団結」

ダルマティアやオスマンの辺境社会（そしてウスコクの社会）では、国家権力の拘束が弱く、拘束が絶えるときもある。そしてまた国家による制裁が実際上ない社会、とくに半軍事的で、概して牧畜民からなる社会では、牧畜生活に深く根ざしたルール、名誉や報復の掟こそが支配した。そして暴力は、この掟の中で重要な動因の役割をはたすのである。（ロシア史家リーバーによれば、コーカサスのコサックもこのウスコクと類似した倫理観を持っていた）。なぜなら物理的な力を使うことで男の評価が上がり、名誉も保たれ、男らしさも認められるからだ。辺境社会では終わりのない襲撃が互いに繰り返される。辺境社会ではどんな小さな対立も流血につながり、武器にたいする執着心は、疑いもなく、衝突を致命的なものにした。

暴力の効果的な使用（セーニのためあるいは「キリスト教世界の防壁」のため、あるいは個人の威信のため）は名誉というものを確認する行為だった。暴力と尊大さは称賛され、弱さと臆病さは軽べつされる。ある聞き取りによると、ウスコクの少年たちは、歩き始めるやいなや、腕力や機敏さを試すような競争をするという。駆けっこや喧嘩をしたり、血をみるまで互いに石を投げ合ったりする。そしてすべてのウスコクは、普段着の一部として武器――通常は短剣や剣――を身につけていた。そのウスコクに宮廷軍事局の使節ラバッタは、あろうことか、あらゆる武器を放棄するよう命じたのである。ウスコクは、当然、この命令を前例のない侮辱と受け止めた。腕力をふるったり、人に物事を強制したり、人を脅したりして自分の意志を押しつける能力は、名誉をつかみ、それを守っていくために必要なものだったのである。

かれらの暴力の激しさは、叙事詩の中で英雄を讃えるときに、いつも盃に注がれるロゼ・ワインとも何か関係があるかもしれない。ワインは、パンや肉と同じように、この地域の暮らしに欠かせないものだから。実際それを飲みすぎて、向こう見ずな振る舞いや、攻撃にいたることがあった。一六〇五年、ウスコクの一団がウスコク討伐隊の大将の乗る船を襲い、ウスコク側は死者二〇人、負傷者四〇人という犠牲を払うことになった。生存者だけがセーニに戻ったのだが、女たちはただ嘆くばかりだった。このときリイェカからやってきて、事の顛末を知った者が、この件ではこれほど被害を受けても報復はしないだろうと予測した。ウスコクも、自ら反省していた。なぜならかれらは敵将が来るのを聞きつけて攻撃を決めたとき、すでに泥酔していたからである。このときのウスコクは、あわてて事を起こしてしまったのであり、ただ暗やみのおかげで全滅を免れただけだった。

境界では暴力で人が死ぬことは日常茶飯事だった。流血やしばしばそれに伴う残虐な行為が、完全になくなったという記録も見当たらない。ウスコク以前の話だが、一五三二年セーニ近郊での戦闘ののち、殺されたトルコ人たちの鼻が捕虜の身柄と一緒にスルタンの下へ送り付けられたという。逆にウスコクの首が杭に刺されて見せしめにされたこともあった。

だがそれは、生命が軽んじられたとか個人の人生が何の価値もない、ということではない。ウスコクにしても、仲間の首を、大変な労苦を払いながら、キリスト教徒らしい埋葬をするために、取り戻しにいった例がある。むしろ、こうした暴力でさえノーマルな「生」の一部として受け入れられたと考えるべきである。

境界社会特有の名誉の観念から生まれた暴力は、非合理なものでも無目的なものでもない。それどころか何かの決まりがあり、何らかの構造も持っていたし、恐怖と尊敬を引き出すよう注意深く計算されたものだった。目的を伴った暴力は必要なもの、あるいは誉められるべきものとされ、その限りで暴力は認められ、正当化された。目的を達成する上で暴力を効果的に用いる能力は美徳であり、それによって名誉や特権と、指導者になる資格とを得ることができた。ヴェネツィア大使ジローラモ・ジュスティニアンは、ウスコクの指導者がいかに暴力を利用したか、多少誇張気味だが、正確に認識していたと思われる。「かれらは取引に長けた者に大きな名誉を与え、そしてより激しい、獰猛なまでの残酷さ、たとえば人肉を食らい、血をすすり、捕虜の心臓をむさぼり食うような者をヴォイヴォダや頭目に選んだのである」。こうした要因をすべて理解しておけば、ウスコクだけでなく、「掟」を生きる辺境の人々の文化の中で、暴力の優位性や暴力にたいする観念そのものが分かりやすくなるだろう。外部の観察者とくにヴェネツィア市民は、ウスコクの略奪や身代金の要求、放火や報復的な殺人に恐れおののいていたが、辺境の人々はむしろこうした名誉の観念を受け入れ、それをウスコク・イメージの一部として認めていたようだ。(すでに述べたように、名誉の観念はオスマン側の辺境の人びとも共有していた)。

ここで、ヴェネツィア人が恐いもの見たさで長々と紹介した話から、ウスコクの獰猛さをもっとリアルに再現してみよう。こうした物語のいくつかは、ウスコクの報復や仕返しの「生々しい」報告であり、その中でウスコクは人を殺し、家を焼き、村々を襲撃した。ただこの種の物語は、悪意によるものであれ、そうでないものであれ、噂によって誇張されている。たとえばある一連の報告は、ウスコクがある男に膨大な身代金を払うよう脅したとし、その脅し方について話がどんどん大きくなっていく。はじめはその脅し相手の下僕が殺され、つぎにその下僕の心臓が焼かれて食べられたという話になり、ついには下僕の皮膚でウスコクが平靴(オパンツィ)の皮ひもを作ったことになってしまう。こうした話は、民衆が語る歴史物語に恐ろしいビジュアル・イメージが加わって、広く行き渡っていくのだ。

ヴェネツィア人にとって、ウスコクの世界はカオスのように見えただろう。そこでは盗みは罪ではないし、平和に生きることは臆病者の生だった。「襲撃に行かない者は、年長者からも、そしてだれからも臆病で恥ずべき存在とみなされる。一方、最も名誉のある家族、最も功績のある人々とみなされるのは、首をつるされ、体を切り刻まれ、思いもよらぬやり方で無念にも殺された人々の子や孫で、殺された父祖の無念を忘れない人々である。こうした栄ある英雄を偲ぶ旗が立ちならぶ中では、たとえ教会でも、自分のベッドで平穏な死に方をした者への献辞を見つけることは困難である」。しかしこうした死がすべてセーニで称賛された訳ではない。ウスコクの掟からすれば、境界の英雄はオスマン帝国やその手先との戦いで倒れた者でなければならない。この掟は、外部の人間の嗜好に合わないかもしれないし、理解不能であったり、ときには曲解を招く可能性もあった。それでも、それは一貫したものであり、この掟の影響はウスコクの行為の多くに見て取ることができるのである。

外形的に、また「報復」によって維持されたウスコクのアイデンティティ

セーニのウスコク社会は決して同質的なものではない。とくに一六世紀末から一七世紀にかけて

の時期は、かれらには出身地を同じくする結びつきもない。ウスコクは、国境の広い、様々な地域から来ており、文化や伝統、あるいは民俗的・言語的背景も違うのである。セーニに長くいて、つきあいも長くなれば多様性も解消の方向にむかうだろうが、絶えず参入者がやってくる状況では、多様性はいつも増幅される。血縁関係にしても、結婚や人為的な親類の結びつきは、時間をかければ、よそ者をウスコク社会へ取り込む手段になるが、ウスコク社会を急速に団結力のあるまとまりにすることはできなかったといえる。

他にも、ウスコク集団分裂の社会的要因があった。セーニの地元民とよそから来た移住者の違い、軍政国境の部隊の中で一定の地位を得た有給兵士と無給兵士の分裂、富める者と貧しい者、指導者と兵卒、そして老若の分裂などである。

それでもたしかに、ウスコクは独自のアイデンティティを持つ自覚的な単位を形成していた。そのことは、外部の人間も衣装や風貌を見れば分かるほど、一目瞭然としたものだった。一六一三年ヴェネツィアの武装船の船長が、とある一団を攻撃したことを報告している。「私が思うに、かれらはウスコクだ。その男たちは、真っ白いシャツにゲチェルメ（袖のないジャケット）を着ていたが、ゲチェルメを一番上に着てシャツの袖を外に出すのは、ウスコクの着方だからである」。フェルモのジョヴァンニは、ウスコクの衣装をもっと詳しく紹介している。……かれらはズボンをはく。「ただ膝から下があまり細くない。そしてふくらはぎから踵にかけて割れている。脚絆は巻かない。ズボンは布製だが、ボタンは鉄か銀で出来ている。そして布地の長靴下を履き、足には平靴オパンツィ。上着のたけはウエストの下まで。袖が広く短いシャツの上に半袖の上着を着るので、袖は半分むきだしになっている。そしてハンガリースタイルのガウンをまとう」。多くのウスコクは頭の一部を剃り、長い髪を一つに束ねていた。この髪型をこの地方ではアル・ウスコツィ（ウスコクスタイル）と呼んだ。ただしこれも、ウスコクが外の世界に対したときに仲間の結束を示す、外面的な印にすぎない。

この程度の外形だけで団結は守りえたかどうか、まだ疑問が残るので、最後にもう一度ウスコクの内面の世界に入ってみよう。まずは、ウスコクの仲間意識が名誉と報復とによって再生産された具体例を見ておこう。一五九七年、ウスコク討伐隊の隊長が看破したように、「ウスコクは、仲間の『兄弟』（かれらはほとんど知らなくてもお互いをそう呼んだ）に加えられた侮辱にたいしては、どんなに些細なものであっても、侮辱した側に復讐することを誓う特殊な集団である。しかし私が思うに、かれらはこの誓いを守ることで互いの絆を守ろうとしたり、兄弟の名の下に仲間の輪をつなごうとした。だからこそ誓いを必要とするのである」。連帯責任という考え方から、ウスコクは仲間の敵を討つだけでなく、トルコ人に捕まった仲間の身代金を払ったり、捕われたり殺されたウスコクの子女を援けようとしたのである。ウスコク仲間の連帯の精神やそこから生まれる責任という問題は、セーニとウスコクの叙事詩、とくに投獄や解放の物語のテーマである。こういった物語では、トルコ人に捕まった英雄が長年の虜囚暮らしで衰弱し、身代金も払えないでいるが、忠実な仲間がかれの解放を決意することになる（あるいは英雄の年老いた母を見て、その企てを決心する）。そして策略の成果か勇敢さの結果、捕虜の救出に成功し、セーニに凱旋するのである。

捕われた仲間を解放する義務が単に詩の世界の話だけでなく実際の義務だったことは、トルコ

略図6　1590年代から17世紀初めのウスコクの精神世界と目的

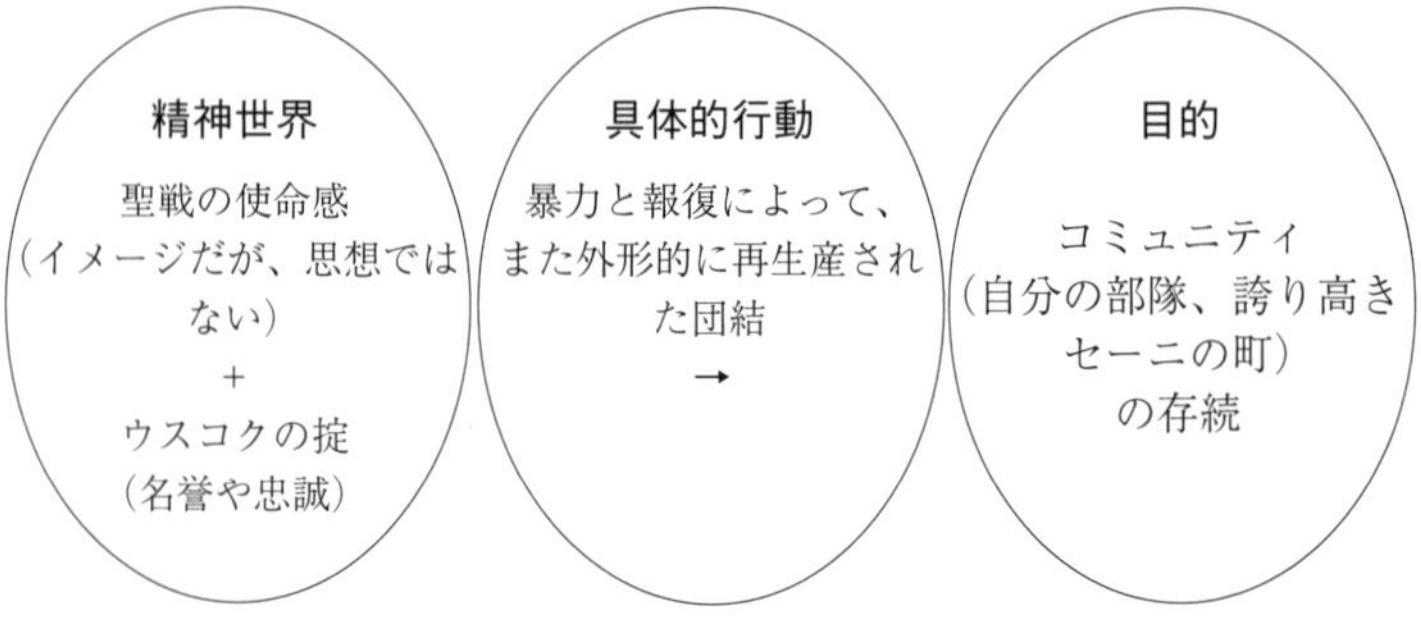

精神世界	具体的行動	目的
聖戦の使命感（イメージだが、思想ではない）＋ウスコクの掟（名誉や忠誠）	暴力と報復によって、また外形的に再生産された団結→	コミュニティ（自分の部隊、誇り高きセーニの町）の存続

人に捕われたヴィッコ・デサンティチの事例をみればよく分かる。ヴィッコの父は、多額の身代金を支払うことを申し出た。しかし仲間のウスコクは、ヴィッコが捕われていた塔からかれを救出することを決め、決死の襲撃作戦を実行したのである。

ウスコクは、すでにこの世にいない仲間についても、こうした責任を果たそうと務めた。ヴェネツィア領内の司祭で、夜半にウスコクに起こされ、仲間の埋葬のために教会を開けさせられた者は一人や二人ではなかった。ウスコクは、正規の儀式を行い、死者のために弔いの鐘をならすことも要求した。かれらが倒れた仲間の遺体を奪い返し、正規の埋葬を施すために命を懸けた例もある。一五九七年のこと、その前年にクリス要塞のふもとで殺害されたウスコク、ヴクドラグ・グロヴァッツの遺体をモルラク（ヴェネツィア警備兵）の手から取り戻そうとしたウスコクの遠征隊が、ヴェネツィアの兵に捕らえられた。グロヴァッツの甥であり、この遠征隊の隊長をつとめていたミロシュ・ブコヴァッツは、おじの遺骨をセーニに取り返し、聖なる地で埋葬しようとしたのだ。

要するに、ウスコクの掟は、宗教的、道徳的、文化的な様々な要素を含んでおり、規範性をもつ観念である。ウスコクの行為に枠組みを与え、ウスコクと外の世界の関係を規定するものである。その主な骨格、つまりキリスト教世界を防御するという使命感や、名誉の観念、あるいは報復の義務・権利、これらに反対する者はセーニの町（あるいは国境地帯の大半）にはいなかった。

ウスコクの中には、この掟を破って制裁を受ける者もいた。最も頻繁に制裁が加えられるのは、仲間のコミュニティに害を及ぼすような罪である。つまり盗み、負債の返却を拒みつづけること、あるいはセーニへの裏切りといった場合である。前者の場合、罪人は女の衣装を纏わされる辱めを受け、糸取棒を手に持ったまま町を引き回されぐらいだったが、後者の場合は死をもって罰せられた。掟は罰によって再強化されたのである。

エピローグ　近世国家とアウトローたち

民衆の社会や文化という面から総体的に捉え直す

　セーニは小都市だが、大国同士がそこでぶつかり合うことから国際的な重要性が引き出されるような境界地域に、かつて位置した。時代が一七世紀に下るにつれて、この境界にオスマンが戦争をしかける恐れはなくなり、同時に政治・経済の世界的な力の重点は地中海から外へ移っていった。セーニはヨーロッパの周辺に置き去りにされた。

　セーニのウスコクはおよそ八〇年の間、独自の役割をはたしたが、一六〇〇年代の初めまでにはかれらよりも軍政国境の隊長や宮廷軍事局など司令権力の方が優勢になっていく。軍事官僚たちには、国境をこれ以上危険な「無法状態」にしておくことができなくなったのである。だが、もし歴史を下から見るならば、イスラム教とキリスト教の「文明の衝突」や、ハプスブルク帝国、ヴェネツィアそしてオスマン帝国の大国間の対立を、境界地域の人間集団それぞれの想いや利害、問題関心にそって論じることも可能になる。セーニのウスコクの歴史からは、末端の人々が互いに対立する実際の様子を観ることができるし、逆に境界地域の社会や文化の内実に光をあてることもできるのである。

境界の日常は、生存をかけた闘いの連続である。しかし物質的な条件だけでなく、文化的な背景や社会関係がウスコクの生を形づくった。かれらが行なった選択を理解するには、かれらの思考様式にも注意を払う心要がある。ウスコクは、われわれが境界地域の精神世界を垣間見る、そんな窓になることができる。その世界では、宗教的な亀裂や文化的な趨勢から暴力が正当化され、美化される。だが、ときに、社会的・政治的亀裂が文化的な価値や慣習によって埋められた。

またウスコクは、ある者から見れば海賊や盗賊であっても、他の者からすれば英雄だったり、自由のシンボルだったりする。また、中央集権化しつつある国家が国民に新しいモラルを植え付けようとすることに様々な反対を示しながら、境界社会の転換を物語ってくれた存在である。

ウスコクは結局何なのか結論に入ろう。

ウスコクになるということは何を意味したのだろう。秘書官バルバロのような人々は、ウスコクになるとは海賊になること、状況がそうさせるにせよ、あるいは本人の嗜好によるにせよ、すべてを手当たり次第に略奪する者、他人の努力の成果を奪ったり、兵士たちの熱狂ぶりを見せつけながら、それを盗みの口実にする輩になることだと言うだろう。

ウスコクの意義とは何だろう。ハプスブルク帝国の手先として、第一にオスマン帝国との国境線で、第二にヴェネツィアとの政治的・経済的な対抗の上で重要な存在だった。だがそのハプスブルク支配層の見方は、実際、バルバロの見方とさほど違いはなかった。かれらは、自分たちの目的を正当化するために、ウスコクを聖なる戦いの兵士としてもてはやしたに過ぎない。

多くの歴史家がこのような評価に同調してきたが、近年ではウスコクの襲撃をウスコクの犯罪者体質で説明する仕方から、むしろ必要にかられた、純粋に経済的な反応によるものだという修正がされた。後者の立場の歴史家には、永遠に戦争状態を繰り返す境界地域は、隣接する社会それぞれの不満を吐き出させるため、境界の住民を略奪するか、されるかのどちらかしかないと映っているのだ。そして本質的にこの対立関係はむきだしの生存競争にすぎないとみなすのである。こうして結局は、ウスコクなど何の忠義もない海賊という、従来と同じ結論になる。

この解釈も、とくにウスコクを異民族の支配や抑圧に対する、原初的な民族闘争ゲリラとみなしたロマン主義的、民族主義的な見方への反動と考えれば、理解できる。しかし、そもそもロマン主義的な見方とウスコクの実際の行いとは大いに食い違うのである。ウスコクが農民や牧夫の社会的正義や理想のために闘った、とみることはまず無理だろう。たしかにこの階層から多くのウスコクが生まれたのだが、ウスコクの襲撃は周りの農民や牧夫にかなりの被害を与えているのだ。また、ウスコクが民族解放に大きく貢献したと見ることもできない。ハプスブルク帝国の兵士として、かれらはオスマン帝国の支配下にいる同胞たちと戦ってさえいる。

このような見方であれば、ウスコクを襲撃に向かわせた要因やその結果を理解したとしても、ウスコクとその役割を評価できるわけではない。評価は、やはり何より、ウスコク自身の思考様式、つまり自己認識や精神世界の分析、また他人の目にそれがどう見えたかという分析から生まれるべきである。

まず、ウスコクなど海賊や盗賊に過ぎないと言い切ったなら、ほとんどのウスコクは同意しないだろう。俗謡に出てくるイヴォ・セニャニンのモデルであるイヴァン・ヴラトコヴィチ自身が、自分はハプスブルクのためでなくキリスト教や自分の名誉のために闘った兵士であり、英雄だと主張するだろう。しかも、オスマンに奉仕したならその代償を払うべきだとして、オスマンのキリスト教徒住民からも略奪したが、ヴラトコヴィチがバルカン蜂起を計画した陰謀家と接触したときは、すべてのキリスト教徒の連帯という、もっと広い視点に立った。ヴラトコヴィチは、セーニには節度もなく、むやみに略奪するウスコクがいたことを認めながらも、海賊というレッテルには憤慨しただろう。

かれ自身はトルコ人の標的だけを注意深く選んだし、ヴェネツィアの市民は攻略しないことを強調し、仲間たちも同じようにしてきたはずだとウスコクを擁護した。そして不当な略奪を行った者には、罰を与えた。それでもかれは、たとえばユリシャ・ハイドゥクのような節操にかけた襲撃者がする言い訳を、いくらか大目に見ていた。しかし、ヴェネツィアによる海上封鎖やラバッタの締め付けのせいで、自分たちの必要物資を見つけ次第奪わざるを得なかったとしたら、かれらを責めることがはたしてできるだろうか。かつてセーニの頭目が指摘したように、かれらもまたかすみを食って生きてはいけなかったのだ。

ただ、それでも、ウスコクは戦利品を得るためだけに襲撃をしたわけではない。かれらの思考様式全体が貧しさへの対応という枠をはるかに越えていた。われわれは、やはり、かれらの生きるための闘いが理性や慣習あるいはイデオロギーによってどれだけ正当化されるかを問うてみる必要がある。

少し見方を変えてみよう。ウスコクを英雄と見た、いわば「同盟者」とはだれだったのか？まず、ウスコクたち自身はだれを同盟者と見たただろうか。ウスコクは、農村の住民にたいしては寛容な態度を引き出すよう腐心し、国境のオスマン兵とは何らかの戦闘のルールを取り決めただろう。実際、慣習が、境界での対立のかたちを微妙に修正した。修正法は、決闘や義兄弟、あるいは身代金の交換といったメカニズムを通じて表に現れた。

こうした社会的枠組みの中でウスコクは、要は明確な使命感〈思想ではないにせよ〉を保ち続けたのである。それは、ハプスブルク帝国やカトリック教会の政治的、宗教的公式を適用したキリスト教擁護の観念にもとづいており、力強いレトリックで表現され、国境社会の価値観や生活態度を具現化しながら、ウスコクの闘争や抵抗を正当化し、また新たな問題に直面して変化したり、改良されたりもした。これは略奪の偽善的なカモフラージュではなかった。ウスコクの行動の掟は強制力〈意図的に再生産されうる〉を持ち、かれらの選択や行為を形づくる大きな影響力や束縛の中でも重要な役割を果たしていた。

ではウスコクの同盟者たちの側はウスコクをどう見ていたのか。

国境の農村住民は、権力の側がウスコクを海賊や盗賊と決めつけたとき、これに同意しただろうか。ほぼ、確実にそうだろう。かれらに協力すれば罰を与えると脅されたにしろ、村人たちもヴェネツィアの法廷でウスコクの侵入の事実を報告している。しかし村で、内輪ではどうだったか。もしセーニからの襲撃が自分たちの家畜に重大な被害を与えたり、法外な身代金や貢ぎ物を要求された直後だとしたら多分盗賊だと訴えただろう。一方村人たちが戦利品を山分けできる関係だった場合は、ウスコクの船が現れるのを不安だけでなく、期待を持って待っていたはずだ。村人たちが、強欲な支配者や過酷な行政官を襲撃するようウスコクの一団を説得できた場合もそうだろう。村びとたちだけでなく、もっと力のある同盟者たち、自分たちの土地や勢力を回復しようという企てに加わったダルマティアの貴族たちやヴェネツィアと張り合うアドリア海の諸港も、ウスコクを自分たちの闘いの味方と見ることができただろう。

しかしウスコクにたいする民衆のシンパシーは、自分たちの直接の利害以上に伝説でありイメージの問題である。ウスコクは、永らく、境界各国のキリスト教徒の守護者と思われており、一六〇九年のオスマン領リカ地方の指導者たちでさえ、ウスコクは「我々が信頼できる人々であり、あらゆる恩恵を引き出すべき人々である」と讃えている。

ダルマティア地方は、後背地をオスマン帝国に支配された。それがこの地方の経済的衰退の最も明白な原因であった。だからこそ、人々はウスコクの聖戦論に共感したのであり、この聖戦論は実際下級の聖職者たちによって支えられていた。

その他、ヴェネツィアやオスマン帝国の支配下で不満を抱いていた住民たちは、ウスコクにハプスブルク王家の代理として、またはクロアティア王冠の代表として、政治的正当性を与えることもできたのである。

そしてオスマン帝国の側でも、ヴラーフのようなキリスト教徒住民がこの宗教的レトリックにそってウスコクの列に加われば、税の増加や特権の喪失に対してかれらが闘う根拠を得たことになる。

これら全ての要因や、聖戦論と結びついた動機の組み合わせが、なぜウスコクがしばしば承認され、ときには尊敬されたかの説明になる。

ウスコクはハプスブルクにとって有用な道具だった。だが、それよりはるかに重要なことは、かれらが、国境の人々の政治的、社会的なアイデンティティの表現手段になっていたということだ。かれらのウスコクにたいする態度や、両者の協力関係を見れば、歴史家は民族意識よりもむしろ宗教的対立や、政治的伝統にもとづいた民衆の政治意識というものを掴むことができた。宗教、当時の境界ではそれが戦争を正当化する旗印になった。この旗印は、さらに、「現在」の忠誠や「過去」の伝統を含めた政治的要因によって形づくられる。こうして同じエスニック集団や言語よりもはるかに強力な忠誠が築かれたのである。事実セーニは、海賊の時代、様々な出自の人びとから成る多様な社会だった。

そして結局、かれらの闘争の実際がどうであれ、ウスコクは民衆の伝説としての役割を果たす。かれらの暴力や破壊をどれだけ知っていようと、良いウスコクなどいないことをどれだけ分かっていようと、国境の民衆はウスコクを英雄視する。つまるところ権力からの解放の（力の）象徴であり、そしてあらゆる危険の中で自ら犠牲を払った（生身の）人間として。

本書の各章で引用したブローデルの『地中海』にこういう叙述がある。

（地中海ではなく陸地が危なくなった）原因となったのは、おそらく、クロアチアの城塞都市スィサクにいたボスニアの地方総督ハッサンの敗北である。それまで、このハッサンはすでに何度もウスコク人に対する大規模な作戦行動を繰り返してきていた。一五九一年、クラニェツとボスニアの間にある地方を破壊し尽くし、一五九二年春にも性懲りもなく同じ悪行を重ねたのだった。おそらくは、周到に準備された挑発である。ところが、一五九三年六月、コンスタンティノープルに入った情報によれば、問題の地域で常時繰り返されていた掃討作戦はクーパ川の岸辺で完全な敗北に終わった。この敗北で、ハッサン自身が戦死したほか、何千人にも上るトルコ人が命を落とした。広大な地域が戦利品として戦勝者たちの手に落ちたのである。

（フェルナン・ブローデル、『地中海』V、114ページ）。

オスマン帝国から逃れたバルカン古来の「遊牧民」が、一六世紀の末になって、クロアティアの地でオスマン帝国のヨーロッパ侵攻に立ちはだかったことをブローデルも認めているのである。本書の最後に、セーニのウスコクを近世帝国の形成という視点で見てみよう。そうすればウスコクはいよいよ世界史の問題の一つになるかもしれない。

ヴェネツィア――帝国ではないがウスコクから見ればやはり大国――では、商人たちの中に、商業活動への妨害を防ぐために、オスマンとの良好関係を望む声も聞かれた。しかし、ダルマティアとレヴァントを結ぶ線の、キリスト教を守る防波堤としての役割を強調する声も当然あった。そしてヴェネツィア国家の指導層には自分たちの領土の狭さを不安視する向きもあった。結局のところヴェネツィア指導層は、公然とキリスト教連合の狙いに反対することを避けて、オスマンに反対するもう一つ別の連合、つまり外交上の反イスラム連合の余地を残したのである。だが、このような議論を知る由もなく、ウスコクはヴェネツィア指導層をキリスト教世界に対する反逆者とみなした。こうした両者の相互不信はおよそ十年、ウスコク戦争まで続き、ヴェネツィアは、自分たちの貿易がこれ以上妨げられるのを防ぐため、大部分のウスコクを海岸から一掃したのである。

ハプスブルク帝国にすれば、その軍事システムが非正規部隊である無給兵士のウスコクに大きく依存していたため、オスマンとの長期戦争（一五九三〜一六〇六）の間かれらと関係を断つという選択肢はなかった。その上、ウスコクがキリスト教世界の防壁を自負しており、宗教はクロアティア海岸地域の人々がハプスブルクを支持する最大の理由だったので、オスマンとの戦いの間ウスコクを抑圧する（または移住させる）ことなど考えることもできなかった。

オスマン帝国にしてみれば、一六〇六年のジトヴァ・トロク条約で、ハプスブルクとの関係は新時代に入った。両方の統治者が互いを同じ地位を持つものと考え、オスマン帝国指導部は、初めて、ハプスブルク帝国の地位と要求の合法性を受け入れた。今やオスマン帝国は、ルドルフ二世とかれの後継者をウィーンの国王ではなくハプスブルク皇帝と呼ぶようになる。長期戦争の結果としてのジトヴァ・トロク条約、それは、オスマン帝国に従来のようにはハプスブルク領内に進行できないことを痛感させ、ハプスブルク＝オスマン関係が大きく変化することを予感させた（もちろん一六八三年のウィーン包囲に象徴されるようにオスマン進攻の波が完全に止まったわけではない）。

国境をはじめ、ハプスブルク＝オスマン両国の懸案事項は力による解決から、法的な根拠にそって定められる時代に進んだ。アドリア海の、そして、クロアティアでの戦争は、こうしてより近代的な、より合理的な関係性の中で行われ、そうした方向性は、ウスコクのような対立的でアナーキーな要素を時代遅れなものにしていった。またウスコク戦争（一六一五～一七年）は、長期戦争と同様に、少しの領土的変更もなしで、ヴェネツィア＝ハプスブルク関係と、ヴェネツィア＝オスマン関係の相互依存性を定式化した紛争だと言うことができる。

一六一七年のウスコク戦争の終りを告げる条約は、ヴェネツィアとオーストリア大公フェルディナントの軍事的対立の終結ともに、セーニとその他の海岸地域から、海賊ウスコクを追放することを定めた。その際、有給兵士スティペンディアーティを無給兵士ヴェントリーニと切り離し、無給兵士だけを追放の対象とした。無給兵士だけでなく有給兵士にも海賊行為があったのだが、後者は、ハプスブルク＝オスマンが再び対立関係に陥った際の軍事行動のために、免責された。

表面上、ヴェネツィアは、オーストリア大公領を攻撃することによってその要求を受け入れさせたように見える。しかし、当時のヴェネツィアに、他国に対して武力を使って何か要求を飲ませる余力があったようには思えない。むしろハプスブルク帝国の側が政治的な理由のためにウスコク一掃に同意したと考える方が自然である。当時ハプスブルク帝国は北方でボヘミアの貴族たちとの対立に関与していて、南方の国境ぐらいは、完全に平和にとはいかなくとも、安定させておきたかったはずである。そしてヴェネツィアと同じ政治的目標に近づいていった。その目標がウスコクの一掃だったのである。

一六一七年のマドリード講和条約以後も続いたヨーロッパの勢力図は、同じくキリスト教国同士の同盟というよりも、ヴェネツィアがフランス、イギリス、オランダと組んだ反ハプスブルク連合という意味で、のちの三十年戦争の同盟を先取りしたものである。アドリア海で、そしてヴェネツィア内部で作られたこの勢力関係の中では、もはやオスマン帝国の脅威は大きな意味を持たなくなっていた。

では最後に、ヨーロッパ意識という点から、三国間関係を俯瞰してみよう。かつて一六〇〇年のアドリア海において、オスマン帝国と相対峙する中で、ハプスブルク帝国とヴェネツィアの間に、キリスト教徒同士という意識に代わるようなヨーロッパ人としての共通意識は見当たらなかった。むしろ、(国家形成の段階にみられることだが)、セーニのウスコクが活動すればするほどオスマンの脅威が叫ばれ、その脅威に対する態度をめぐって両国は争った。(また、その脅威は、領土権や制海権などの法的権利の根拠としても両者に利用された)。

ヨーロッパ意識が、オスマン侵攻に対する一致団結の意識として、オスマンの脅威に応じて育つとすれば、それはヴェネツィアとハプスブルク帝国の間の境界で、この領域から起こるはずだった。しかし両国の力はオスマン帝国と戦うため互いを効果的に結びつけなかっただけでなく、むしろ互いに競い合って自らの支配圏を保存し、大きくしようとした。オスマン帝国は、このプロセスに部分的に関与したにすぎない。しかし、一六〇六年にジトヴァ・トロクの講和条約を結んで、一六一五年にそれを「更新」することに同意したという事実は、オスマン帝国も自分たちの拡張政策が限界に達したことを自覚したのである。

オスマン帝国は、自らの内的、構造的な限界のため、しばらくは自らを拡張することができなくなる。こうしてハンガリーとクロアティアの領土が確定され、ハプスブルク帝国にとっては、南東ヨーロッパ諸国との関係が三十年戦争の間は重大な変化はないことが保証された。しかし、この三十年戦争によってヨーロッパを一つの国にしようとするハプスブルク家の夢もまた潰えたのである。

* * * *

二〇一四年に本書に内容の近い本が出版された。

ロシア史研究者A・リーバーは、遊牧民の動きを長期に、それもユーラシア規模でフォローし、定住民との社会レベルでの関わり、あるいは各帝国の遊牧民政策の比較を行っている。そしてこうした遊牧民による帝国への反抗の好例として、バルカンのウスコクやハイドゥクを取り上げている。リーバーによれば、「帝国の支配に対する暴力的抵抗は、境界地域における闘いの最初の段階に強盗や農民暴動という形をとった。重税や帝国の差別的な土地政策は、征服された住人の間で不平を貯め、『中心の』農民と反抗を共有させた。反抗は帝国の力の周辺で、辺境に沿って、または、山岳地方で開花した。バルカンのこの反抗者はウスコクやアルマトラスなどと呼ばれた……」。

A・リーバーは、また、こうも述べている。「一七世紀の間ドナウ川地方とエーゲ海で、ハイドゥク、クレフト、アルマトロスという盗賊集団が文献に頻出する。かれらの活動は、断続的な戦争と社会秩序の崩壊とともに活発になる。かれらの略奪は、地元の農民には慕われない。しかし徐々に、特に南スラヴの土地で、ハイドゥクは英雄的盗賊として神話化される……」と。

過日、クロアティアの港町リイェカのある博物館で、ウスコク展に関する古いポスターを見つけた。そのポスターはウスコクをコルセアであるとしており、海賊だったのはウスコクの歴史のほんの一時期だと解説していた。しかし私は、その海賊ウスコクの姿こそが人びとの伝説になったのではないかと思う。その時、聖戦の物語に、境界にたどり着いたヴラーフのような流れ者たちの物語が新たな命を吹き込んだのではないだろうか。

ウスコクは海賊であり、こうして境界の英雄になったのである。

＊　＊　＊　＊

何よりもまず、複雑な内容にも関わらず、本書に出版の機会を与えていただいた彩流社の竹内淳夫会長に改めて謝意を表したい。

かつて良知力氏は『向こう岸からの世界史』で、華やかな中欧の市民革命の渦中、革命の側でも、反革命の側でも、流血が甚だしかったのは東欧からの流民や兵士だったことを描き出した。本書は、良知氏への私なりの「アンサーソング」である。反革命の皇帝軍兵士のルーツは、かつての海賊ウスコクの最も勇猛な人びとだった。かれらは、ほどなく辺境の「自由」兵士にもなるのだが、このような「自由」兵士はコサックのように他の帝国の辺境にも見ることができる。こうした辺境は今日もなお紛争地域であったりする。（本文中コーカサスに触れたが、香港も二〇二〇年のユーラシア東端なりの紛争地域である)。だが、そういう人々の精神世界に、今日こそ社会史研究の光が当たってしかるべきではなかろうか。また、そういう文化の自己主張をＩＴ化が可能にするのではないだろうか。

本書の後半に登場する、ヴラーフと呼ばれる半遊牧の人々についてはクロアティアの最近の研究成果を取り込んで説明している。ウスコクの海賊活動の数多くの例と境界の精神文化についてでは、左記のウェンディ＝ブレイスウェルによる一九九二年の著作(とりわけその史料分析と理論構成、研究史の整理)を参考にしている。女史の著作は、ウスコクに関する貴重な研究(イタリア語、クロアティア語、ドイツ語の外交文書や裁判記録といった公文書、役人や歴史家など個人の記録を駆使した)であるだけでなく、クロアティアや中東欧に関する社会史研究として、他に類を見ないほどの秀作だと思われる。そのエッセンスだけでも本書の読者に汲み取っていただければ幸いである。

なお本書では、近世の、とりわけ境界地域の様々な通貨の価値について明確にできなかった。また地名についても小さな村までは地図に記すことはできなかったことをお断りしたい。

セーニの海賊ウスコクに関する略年表

一五二〇年代　クロアティア国境に対するオスマン軍勢の侵犯が増大
二二年　クロアティア国境の要塞がハプスブルク家フェルディナント大公の指揮下で防衛強化
二六年　モハーチの戦い、クロアティア（兼ハンガリー）国王戦死
二七年　フェルディナント、クロアティア国境の警護を誓約し、同国王に選出される
三七〜四〇年　神聖同盟（ヴェネツィア、教皇、神聖ローマ皇帝）の戦い、しかしヴェネツィアはオスマン帝国と単独講和
三七年　クリスの要塞、オスマン軍勢によって陥落
四七年　ハプスブルク＝オスマン五年間の和平を締結
六四年　フェルディナント一世死去、マクシミリアン二世即位
七〇〜七三年　キプロス戦争（レパントの海戦も含む）、神聖同盟（ヴェネツィア、教皇、スペイン）

七一年　対オスマン帝国の戦い。ヴェネツィアはオスマン攻撃にウスコクを動員するも、同戦争後動員解除。多くのウスコクがセーニへ

七六年　ヴォイヴォダのダニチッチがラグーザ共和国（ドゥブロヴニク周辺）への遠征中に殺害される。以後セーニとラグーザが反目

七八年　マクシミリアン二世死去、ルドルフ二世即位

八三年　スティリアのカール大公の指揮により軍政国境再編、同国境グラーツ宮廷軍事局の管轄に

九二年　ウスコク再びクリス奪還を図るも失敗、多くがセーニへ逃亡

九三〜〇六年　ヴェネツィア、ウスコク掃討作戦に加え。カルロバーグなどクロアティア海岸部を攻撃。またセーニと海岸地域の海上封鎖を開始

九六年　オスマン帝国とハプスブルク帝国の長期戦争

九七年　キリスト教徒勢力、クリス奪還。直後、圧倒的なオスマン軍勢の攻撃により再占領される。多くのウスコク、セーニへ逃亡

九八〜九九年　ウスコク、ヴェネツィア領侵犯。ヴェネツィア、セーニなど海岸地域を海上封鎖。ハプスブルク帝国将軍レンコヴィチ、関係したウスコクを処罰

ハプスブルク帝国とヴェネツィア、ウスコクの取締をめぐり関係悪化。ヴェネツィ

ア海上封鎖に加え、ハプスブルク領攻撃。教皇、仲介を試みる。ウスコクの一部からもセーニ改革案

一六〇〇～〇一年　グラーツ宮廷軍事局、セーニ改革のため特使ラバッタを派遣。ウスコクの追放や配置替えを実行。しかし〇一年一二月ラバッタ、ウスコクにより殺害される

〇六年　長期戦争集結。ウスコクはバルカンのキリスト教徒による反オスマン蜂起にたいする支持を表明

一二年　ヴォイヴォダのヴラトコヴィチ軍政国境当局により逮捕、裁判、処刑される。大公フェルディナント(前出のフェルディナント一世の子)とヴェネツィアの間でウィーン合意(ヴェネツィアの海上封鎖解除などと引き換えにセーニの「海賊」を掃討する)。ルドルフ二世死去、ハプスブルク皇帝にマティアス

一五～一七年　ウスコク戦争、大公フェルディナントとヴェネツィアの間で勃発。マドリード条約(一六一七年)で集結

一八年　ハプスブルクとヴェネツィアの合同作戦によりウスコクはセーニから一掃される

図版の出典と参考文献

図

1 (Georg Keller, Abriss der Festung Zeng, 1617), in Catherine Wendy Bracewell, *The Uskoks of Senj~Piracy, Banditry, and Holy War in the Sixteenth-Century Adriatic*, Cornell University Press,1992, p.105.

2 http://www.croatianhistory.net/etf/lop.html, kristian Kreković.

3 Andrija Maurović, *Čuvaj se senjske ruke*, Zagreb, 1981, str.10.

4 (Cesare Vecellio,"Habiki antichi et mloderni,1590), in Catherine Wendy Bracewell, *Ibid*, Door painting.

5(B. Hacquet, *Abbildung und Beschreibung der südwestUchen und östiichen Wenden, Illyrer und Slaven etc.*, Leipzig, 1805), in https://sh.wikipedia.org/wiki/Uskoci

6 Catherine Wendy Bracewell, *Ibid*, p.122.

地図

1 Catherine Wendy Bracewell, *The Uskoks of Senj~Piracy, Banditry, and Holy War in the Sixteenth-Century Adriatic*, Cornell University Press,1992, p.21.

2 Hrvatska povijest u ranom novom vijeku 3 dio: Josip Vrandecić, Miroslav Bertoša, Dalmacija, *Dubrovnik i Istra u ranome novom vijeku*, Zagreb, 2007, u prilozima.

3 Catherine Wendy Bracewell, *Ibid*, p.3.

4 Nataša Štefanec, Demographic Changes on the Habsburg-Ottoman Border in Slavonia (c. 1570-1640) // *Das Osmanische Reich und die Habsburger Monarchie in der Neuzeit : Akten des internationalen Kongresses zum 150-jährigen Bestehen des Instituts für Österreichische Geschichtsforschung* / Kurz, Marlene ; Scheutz, Martin ; Vocelka, Karl ; Winkelbauer, Thomas (ur.),Wien ; München, 2005, p.577.

5 Catherine Wendy Bracewell, *Ibid*, p.62.

表

1 Nenad Moačanin, Introductory Essay on an Understanding of the Triple-Frontier Area: Preliminary Turkologic Research, in *Microhistory of the Triplex Confinium*, ed. Drago Roksandić, Institute on Southeastern Europe Central European Unversity, Budapest 1998.

2 Karl Kaser, *Freier Bauer und Soldat*, Wien,1997（越村勲／戸谷浩編訳『ハプスブルク軍政国境の社会史』、学術出版会、二〇一三年、一〇一ページ）。

主な参考文献（年代順）

海賊・海商に関する文献

Alberto Tenenti, *Piracy and the Decline of Venice 1580-1615*, London, 1967.

Andjelko Mijatović (priredio), *Senjski Uskoci~u narodnoj pjesmi i povijesti*, Zagreb 1983.

Catherine Wendy Bracewell, *The Uskoks of Senj~Piracy, Banditry, and Holy War in the Sixteenth-Century Adriatic*, Cornell University Press,1992.

Nenad Moačanin, Introductory Essay on an Understanding of the Triple-Frontier Area: Preliminary Turkologic Research, in *Microhistory of the Triplex Confinium*, ed. Drago Roksandić, Institute on Southeastern Europe Central European Unversity, Budapest 1998.

Molly Greene, *Catholic Pirates and Greek Merchants: A Maritime History of the Mediterranean*, Princeton/Oxford: Princeton University Press,2010（秋山信吾訳、『海賊と商人の地中海～マルタ騎士団とギリシア商人の近世海洋史』、NT出版、二〇一四年）.

Ruth Simon, The Uskok Problem and Habsburg, Venetian, and Ottoman Relations at the Turn of the Seventeenth Century, www.essaysinhistory.com/articles/2012/102.

Nataša Štefanec, Violence as a Job~Habsburg-Ottoman Border in Croatia in the 16th and 17th Century, Research Group Communities of Violence : International Workshop Economies of Violence Ruhr University, Bochum, Germany, June 27-29, 2014.

Sanja Lazanin, *Slika drugoga i pismo o sebi: Grof Josipa Rabatta(1661.-1731.)* o Hrvatskoj i sebi, Zagreb, 2014.

越村勲編、『１６・１７世紀の海商・海賊――アドリア海のウスコクと東シナ海の倭寇』、彩流社、二〇一六年。

ウスコクに関連する経済史

Tomislav Raukar, Venecija i ekonomski razvoj Dalmacije u XV. i XVI. Stoljeću, *Radovi Zavoda za hrvatsku povijest*

Vol.10 No.1, Zagreb, 1977.

Zsigmont Pal Pach, Levantine Trade Routes and Eastern Europe in the Middle Ages, XVe Congrès International des Sciences Historiques, Bucarest, 10-17 août 1980. Rapports (Bucharest, 1980).

鈴木徳郎、「一六世紀のヴェネツィア経済：レヴァント商業・手工業・人口」、イタリア学会誌 (39),163-176, 255-256, 一九八九年。

J. L. Anderson, Piracy and World History: An Economic Perspective on Maritime Predation, *Journal of World History* Vol. 6, No. 2 (Fall, 1995).

Nataša Štefanec,Trgovina drvetom na Triplex Confiniumu ili kako izvući novac iz senjskih šuma 1600-1630, in Roksandić, Drago – Mimica, Ivan – Štefanec, Nataša – Bužančić, Vinka (eds.). *Triplex Confinium (1500-1800): ekohistorija,* Split-Zagreb, 2003.

Sabine Florence Fabijanec, Pomorstvo na istočnom Jadranu: trgovački promet i pomorske opasnosti krajem srednjega vijeka i početkom modernoga doba, *Historijski Zbornik* Vol. 65, 2012.

Oleh Havrylyshyn i Nora Srzentić, *Economy of Ragusa 1300 – 1800~The Tiger of the Medieval Mediterranean,* Zagreb, 2014.

飯田巳貴、『近世のヴェネツィア共和国とオスマン帝国間の絹織物交易』、一橋大学博士論文　二〇一三年。

海賊一般に関する文献

Philip Goss, *The History of Piracy* (Reprint), N.Y.,1968（フィリップ・ゴス／朝比奈一郎、『海賊の世界史』、リ

ブロポート、一九九四年）。

Jacek Machowski, *Pod czarna bandera*, Warszawa,1970 (J・マホウスキ著／田辺稔訳、『海賊の社会史』、白川書院、一九七五年）。

小島敦夫、『海賊列伝——古代・中世ヨーロッパ海賊の光と影』、誠文堂新光社、一九八六年。
J.L.Anderson, Piracy and World History: An Economic Perspective on Maritime Predation, *Journal of World History*, Vol6, No.2,1995.
David Cordingly(ed.), *Pirates*, Atlanta,1996（増田義郎監修、増田義郎・竹内和世訳、『図説海賊大全』、東洋書林、二〇〇〇年）。
C.R. Pennell(ed.), *Bandits at Sea: A Pirates Reader*, N.Y. University Press, 2001.
松村劭、『三千年の海戦史』、中央公論新社、二〇〇六年。

クロアティア史に関する文献

T.G. Jackson, *Dalmatia The Quarnero and Istria*, Oxford University Press,1887.
Drago Roksandić, Bune u Senju i Primorskoj Krajini(1719 – 1722), *Radovi* - Institut za hrvatsku povijest 15 (1982).
Galerija Klovičevi dvori, *Dalmatinska Zagora*, Zagreb, 2007.
J.Vrandečić/M.Bertoša, *Dalmacija Dubrovnik i Istra u Ranom Novom Vijeku, Hrvatsko Povijest u ranom novom vijeku* 3 svezak, zagreb,2007.
Karl Kaser, *Freier Bauer und Soldat*, Wien,1997（越村勲／戸谷浩編訳『ハプスブルク軍政国境の社会史』、学

術出版会、二〇一三年）.

オスマン史に関する文献

Andre Clot, *Soliman Le Magnifique*, Librairie Arthème Fayard, 1983（アンドレ・クロー著／濱田正美訳、『スレイマン大帝とその時代』、法政大学出版局、一九九二年）。
Vjeran Kursar, Being an Ottoman Vlach: On Vlach Identity(ies), Role and Status in Western Parts of the Ottoman Balkans (15th -18th Centuries), OTAM 34 (34), 115-161, 2013.
Nenad Moačanin, Town and Country on the Middle Danube 1526-1690 (Ottoman Empire and Its Heritage 35), Leiden-Boston, 2006.
林佳世子、『興亡の世界史10：オスマン帝国５００年の平和』、講談社、二〇〇八年。

海に関する歴史書

Fernand Braudel, *La Méditerranée et le Monde Méditerranéen a l'époque de Philippe II*, librairie Armand Colin（フェルナン・ブローデル、『地中海』Ⅰ～Ⅴ、藤原書店、一九九一年）。
川勝平太編、『海から見た歴史――ブローデル「地中海」を読む』、藤原書店、一九九六年。
Predrag Matvejevitch, Bréviaire Méditerranéen, Paris, 1992（沓掛良彦・土屋良二訳『地中海――ある海の史的考察』、平凡社、一九九七年）。

その他

Andre Zysberg & Rene Burlet, *Gloire et misére des galéres*, Gallimard,1987（深沢克己監修、遠藤ゆかり／塩見明子訳、『地中海の覇者ガレー船』、創元社、一九九九年）。

南塚信吾、『アウトローの世界史』、ＮＨＫブックス、一九九九年。

Dennis O. Flynn and Arturo Giráldez, Globalization Began in 1571, www.geocities.jp/.../PDF/DiscussionPaper2005_02_05Flynn.pdf.

Peter T. Leeson, *The Invisible Hook: The Hidden Economics of Pirates,* Princeton University Press, 2009.

越村勲、『クロアティアのアニメーション』、彩流社、二〇一〇年。

Eric John Ernest Hobsbawm, *Primitive Rebels: Studies in Archaic Forms of Social Movement in the 19th and 20th centuries,* Manchester University Press, 2011（船山榮一訳、『匪賊の社会史』ちくま学芸文庫、二〇一一年）。

Alfred Rieber, *The Struggle for the Eurasian Borderlands: From the Rise of Early Modern Empires to the End of the First World War*, Cambridge University Press, 2014.

越村勲、『クロアティアのアニメーション』、彩流社、二〇一〇年。

Eric John Ernest Hobsbawm, *Primitive Rebels: Studies in Archaic Forms of Social Movement in the 19th and 20th centuries*, Manchester University Press,2011（船山榮一 訳『匪賊の社会史』ちくま学芸文庫、二〇一一年）。

Alfred Rieber, *The Struggle for the Eurasian Borderlands: From the Rise of Early Modern Empires to the End of the First World War*, Cambridge University Press, 2014.

Isao Koshimura, Uskok and Wako/Uskok i Wako, Zagreb, 2020.

著者紹介
越村　勲（こしむら　いさお）
1953年富山県生まれ。
ザグレブ大学大学院修士課程修了、一橋大学大学院博士課程修了（社会学博士）。
一橋大学特別研究員、千葉大学助手などの後、東京造形大学教授、2019年より同大学名誉教授。
専攻は東欧社会史・文化史。
著書に『東南欧農民運動史の研究』（多賀出版、1990年）、Uskok and Wako/ Uskok i Wako, Plejada, Zagreb, 2020. 訳書にD･ロクサンディチ『クロアティア・セルビア社会史断章』（彩流社、1999年）、編訳『バルカンの大家族 ザドルガ』（彩流社、1994年）、S・ノヴァコヴィチ『セロ――中世セルビアの村と家』（共訳、刀水書房、2003年）、K・カーザー『ハプスブルク軍政国境の社会史 ― 自由農民にして兵士』（共編訳、学術出版会、2013年）など。

アドリア海（かい）の海賊（かいぞく） ウスコク――難民（なんみん）・略奪者（りゃくだつしゃ）・英雄（えいゆう）

2020年10月10日　初版第1刷発行　　定価はカバーに表示してあります

著　者　越村　勲
発行者　河野和憲

発行所　株式会社　彩流社
〒101-0051　東京都千代田区神田神保町3-10　大行ビル6F
電話　03 (3234) 5931　FAX　03 (3234) 5932
http://www.sairyusha.co.jp
印刷　明和印刷(株)
製本　(株)村上製本所
装幀　渡辺将史

ISBN978-4-7791-2545-4 C0022

16・17 世紀の海商・海賊

978-4-7791-2146-3 C0020 (16・04)

アドリア海のウスコクと東シナ海の倭寇　　越村 勲 編

「海賊の黄金時代」の 100 年以上前に生まれ、黄金時代到来以前に消えていったクロアチアのウスコクと東シナ海の倭寇。彼らは、16・17 世紀の経済、政治や軍事の変化に反抗したのではないか。近世国家が生んだとの視点で二つの海賊を比較。A5 判並製　3,200 円＋税

バルカンの大家族ザドルガ

978-4-88202-312-8 C0022 (94・11)

越村　勲 編訳

家長、息子の兄弟とその妻たち、そして子どもの三世代が共住する特異な家族制度ザドルガの全貌を、東ヘルツェゴヴィナ、クロアチア、マケドニアのフィールドワークで解明した基本図書。近代化と核家族化の中で失われた伝統の再発見。　Ａ５判並製　1,942 円＋税

バルカンの心

978-4-7791-1261-4 C0022 (07・04)

ユーゴスラビアと私　　田中　一生 著

バルカン地域と関わっておよそ半世紀、日本におけるバルカン学のフロンティアによる旧ユーゴスラビアを中心とした歴史、文化、文学についての論考・研究・エッセイをまとめた書。ＮＨＫラジオ深夜便の“自伝的”インタビュー収録。　A5 判並製　2,800 円 + 税

映画『アンダーグラウンド』を観ましたか？

電子版発売中！

ユーゴスラヴィアの崩壊を考える　　越村 勲／山崎信一 著

カンヌ映画祭グランプリのクストゥリツァ監督『アンダーグラウンド』の世界を読み解きながら、1990年の社会主義崩壊、各共和国の独立宣言、その後の「内戦」やNATOにの「空爆」などの“歴史的体験”をした旧ユーゴスラヴィアの歩みを考える。　1,000円＋税

クロアティアのアニメーション

978-4-7791-1520-2 C0074 (10・08)

人々の歴史と心の映し絵　　越村　勲 著

アート・アニメーションの新たな世界を切り開いたクロアティアの「ザグレブ派」アニメーションに、大国に翻弄されてきた西バルカンの小国クロアティアに生きる人々の歴史認識や心性を探る社会史の新たな試み。　Ａ５判並製　2,200 円＋税

マルタ

978-4-7791-2571-3 C0026 (19・03)

地中海楽園ガイド　　伊藤 ひろみ 写真・文

吸い込まれるような青い海、宗教にねざした暮らし、人びとの表情が魅力的なばかりでなく、紀元前3000 ～ 4000年にまでさかのぼる歴史的スケールも大きい遺跡。体験を通した情報や生活事情などガイド的要素も豊富。カラー写真満載！　Ａ５判並製　1,800円＋税